42 明代

西元1368～1643年 〔注音本〕

全新 吳姐姐講歷史故事

吳涵碧◎著

目錄

【第881篇】

明孝宗偷讀佛書。

明孝宗具有種種美德，歷史上稱之爲弘治中興，但是，人總難得十全十美，仍然不能完全免於傳統的積習，譬如寵信宦官李廣。

明孝宗不貪財，不好色，勵精圖治，按理說來，宦官不容易弄權，可是，李廣利用孝宗拜佛從中弄權。

孝宗身世坎坷，自小與母親紀淑妃藏身於安樂堂之中，紀淑妃爲了解脫煩惱，排遣寂寞，經常燒香拜佛。

事實上，整個安樂堂中，總是青煙裊裊，因爲這些被打入冷宮的可憐后妃宮女，人生毫無希望，只有虔誠拜佛，希冀來生。

孝宗在這種奇特的環境之中成長，自自然然模仿大人，也學著點香、跪拜、敲木魚等等。

後來，孝宗與母親好不容易得見天日，紀淑妃卻被萬貴妃害死，明孝宗躲在祖母周太后的仁壽宮，這種種的打擊，在在讓他幼小心靈發現人生無常，也就更容易接受佛經。

因此，當孝宗初學識字，他最感到興趣的，就是捧讀佛經，非常渴望能夠了解其中的含義。

孝宗的啓蒙老師是覃吉，覃吉是個老太監，學問很好，清朝的袁枚曾

經說過：『孝宗的開口奶吃得好，難怪以後的學問好。』

當孝宗九歲之時，覃吉教他讀《四書章句》與《古今政典》，孝宗讀得津津有味，但是，對他最有吸引力的，仍然是佛經，不過，覃吉不准他讀。

有一回，孝宗正在偷讀佛經，突然之間，有個小太監通風報信：『老伴來囉！』老伴就是覃吉。孝宗趕緊把佛經藏在《孝經》之中。

覃吉眼尖，早就看到了，但是，故意不說破，他問：『太子正在讀甚麼書？』

『正在讀《孝經》。』

『那就好，佛書荒誕，不可相信。』

『是的。』太子唯唯諾諾，心中不以爲然。

孝宗自弘治八年之後，漸有倦勤之感，一個很重要的因素，是他力不從心。雖然孝宗只有三十歲出頭，但是，他自小生長於冷宮，體質不佳，營養不良，又受到身心種種折磨，身體日漸虛弱，孝宗又不愛動，成天悶在書房，久而久之，益發像一個小老頭子，也就愈來愈迷佛。

太監李廣看在眼裡，經常介紹一些僧道人引入宮中，用符籙禱祀蠱惑孝宗，並且矯旨（詐稱皇帝的命令）任命這些人爲傳奉官。

既然李廣有出賣官職的本事，當然四方爭相賄賂，他又擅奪畿內民田，專營鹽利，開始過著豪華享受的生活，李廣造了一所極爲考究的園林，起大第，引玉泉山的水，前後環繞。

李廣造的橋，稱李廣橋，或稱之爲藜光橋，這座橋，迄今仍然保留，李廣橋東邊便是清朝著名的恭王府與醇王府，乃北平一名勝也。

李廣的奢侈，言官們紛紛上表，可是，孝宗頗滿意李廣在佛事上的用心，一切論劾置之不理。

弘治十一年，李廣勸孝宗在萬歲山建一個亭子，題名爲『毓秀亭』，取鍾靈毓秀之意，因爲孝宗只有二個兒子，次子死後，只剩太子。不料，毓秀亭建好以後，皇子未生，倒死了一個小公主，大家都說，這是李廣出的壞主意。

過了沒有多久，清寧宮忽然燒起一場大火，有人藉此攻擊李廣，說是『毓秀亭犯了太歲』。

孝宗的祖母周太后很生氣，她對孝宗發牢騷：『今日李廣，明日李廣，果然禍事臨頭。』

明孝宗一向極爲孝順老太后，因此，李廣聽説老太后震怒，害怕孝宗會治罪，畏罪自殺。

李廣死了之後，明孝宗疑心他家中藏有甚麼異書，派人到他家中搜了半天，沒找到任何異書，倒是查到一本帳簿。

孝宗翻開帳簿一看，全是某年某月某日，某大臣送黄米若干石，某大臣送白米若干石。

孝宗不解，問道：『乖乖，李廣一個人食量到底有多大，一個人吃得了這許多白米？』

『稟報皇上，此乃暗記，黃米黃金也，白米白金也。』左右的人加以解釋。

孝宗大怒，下令追查。

李廣雖然橫行不法，比起王振，以及劉瑾，其實只是小巫見大巫。

閱讀心得

【第882篇】

王華諷刺張皇后。

明孝宗寵信宦官李廣，後來，李廣貪賄之事外洩，孝宗祖母周太后氣得對孝宗說：『今日李廣，明日李廣，果然禍事臨頭。』李廣因而畏罪自殺。

此外，王華亦曾在文華殿爲孝宗舉行『小經筵』之時，巧妙的批評了張皇后與李廣。

所謂『小經筵』就是日講，這是皇帝一種進修的方式，明孝宗選擇博雅耿介的儒臣，按日進講聖賢之道，朝政得失，由此可見，孝宗始終好學不倦，努力求知。

至於王華，這個人不簡單，他是著名思想家王陽明（王守仁）的父親，字德輝，他是成化十七年的狀元。王華十分孝順，他的老媽媽活到一百多歲才歸天，他當時已經七十多歲，日夜侍奉老母親，有這樣的身教，無怪乎能夠教養出王陽明這般的好兒子。

王華進講的時間很長，孝宗對他十分看重，有一回，王華講『大學衍義』之時，就用了唐朝李輔國與張良娣表裡用事的例子，提醒孝宗小心張皇后與李廣。孝宗很有風度的請宦官賜食慰勞王華。

李輔國與張良娣是如何表裡用事，其中有一段故事：

唐明皇（即唐玄宗）寵愛楊貴妃，怠忽國事，造成『安祿山叛變』，玄宗倉皇西逃，『西出都門百餘里，六軍不發無奈何，宛轉蛾眉馬前死。』楊貴妃被吊死於馬嵬坡。不久，玄宗之子肅宗在靈武即位，玄宗被迫由皇帝變為太上皇。

這整個事件由宦官李輔國與張良娣主導，因此，肅宗即位，立張良娣為皇后，張皇后與李輔國聯手干預朝政。

唐玄宗對李輔國一向沒甚麼好臉色，李輔國為了報仇，有一天便對肅宗說：『太上皇住在興慶宮，每日與外人交往，陳玄禮、高力士等人都在籌劃，如何不利於陛下，奴才不能不稟報。』

肅宗不相信，他說：『聖皇慈仁，哪裡會容許此事發生？』

李輔國一不做二不休，假造肅宗的命令，把興慶宮中原有的三百匹馬，一下子縮減爲只剩下了十四。

玄宗好傷心，他對高力士說：『吾兒爲輔國所惑，不得終孝矣。』

到了七月裡，李輔國又以一紙假聖旨，邀請唐玄宗赴『西內』一遊。西內就是太極宮，荒涼而潮濕，不宜人居，所以太宗建大明宮，自高宗以後，皇帝都住在大明宮。

李輔國陪著玄宗進入西內睿武門，突然之間，把門給關上，並且派出五百騎兵露出兵刃遮擋道路，很不友善的對玄宗說：『皇帝以興慶宮過於狹隘，迎上皇遷居大內。』

玄宗一聽，嚇得差一點自馬背墜下。

高力士護主殷切，斥責李輔國：『李輔國你好大膽子，何得無禮！還不趕快下馬賠罪。』

李輔國一臉不開心的下了馬。

高力士轉身對五百騎兵轉達玄宗旨意：『上皇向諸將士問安。』將士們收起了兵刃，齊聲高呼：『萬歲！』

高力士爲玄宗保住了老臉顏面，但是，玄宗被迫離開了風景秀美的興慶宮，留在陰暗潮濕的西內甘露殿。

接著，李輔國率眾而退，只留下數十個老弱侍衛伺候玄宗，甚且連玄宗最心愛的高力士，也被流放到巫州。

玄宗曾經說過：『力士在旁，我睡覺才睡得穩。』如今楊貴妃被逼死，高力士遭流放，他一個人被迫移居西內，回想當年開元天寶年間，一呼百諾，何等威風，如今落得被人宰割，何等悽慘。再說，以詐騙手段逼迫玄宗移居大內，即或出於李輔國之意，顯然肅宗也不反對，畢竟肅宗是皇帝啊，兒子如此不孝，如此不信任老子，玄宗愈想愈覺得人生無味，最後絕食致死。

這一段唐朝歷史，深爲後人所不滿，認爲肅宗不該信任張皇后、李輔國，讓肅宗留下不孝之惡名。孝宗信李廣，又愛張皇后，與肅宗的故事相像，因此，王華才有此一諷刺。

平心而論，孝宗的張皇后與孝宗一般，信奉佛教，信任李廣，絕沒有唐朝張皇后陰狠，他夫妻二人感情極佳，孝宗只有二個兒子，都是張皇后所生，次子三歲夭折，長子朱厚照就是武宗，孝宗三十六歲英年而卒，太子朱厚照即位，他就是明武宗，也就是家喻户曉的正德皇帝。

閱讀心得

【第883篇】

梅龍鎮上的李鳳姐。

明武宗即位，年號正德，民間通稱他爲正德皇帝。提起正德皇帝，馬上就令人想起梅龍鎮上的李鳳姐。國劇裡有一齣戲叫『遊龍戲鳳』也叫『梅龍鎮』，就是這一段正德皇帝的故事，後來又以黃梅調唱法改拍成電影『江山美人』，曾經轟動一時。

李鳳姐的故事未見於正史，這只是知名的民間傳說，所以我們先從國劇裡的正德皇帝說起，再介紹正史中的明武宗。

正德皇帝生性好動，經常溜出皇宮，微服私訪民間。

有一天，正德皇帝化裝成爲一個軍人，單身來到梅龍鎮，夜幕低垂，他有些飢餓，舉目張望，只見前面有一個『龍鳳酒店』的市招迎風招展，他便輕步跨入酒店的大門。

『酒保！』奇怪，酒店内空無一人，他只得高聲呼叫。

『來了！』從室内輕快的閃出一個女孩。

『你是酒保？』正德皇帝被這活潑純眞的小姑娘吸引住了。

『我哥哥去打更巡夜，只好我臨時充當酒保了。』

那輕脆而甜美的聲音，與皇宮裡裝模作樣、嚴肅而規律的聲音完全不一樣。

『你店裡有甚麼酒菜？』正德皇帝坐了下來。

『我們店裡的酒菜分爲三等。』小姑娘回答。

『哪三等呢？』

『第一等是給達官貴人享用的，第二等是給來往客商享用的，第三等是……』小姑娘有些猶豫，頓了一會兒：『第三等給你們軍爺吃的。』

『哎呀，原來當兵的這等可憐！』說著正德皇帝從懷裡掏出一錠十兩的銀子，對小姑娘說：『把第一等的酒菜擺上來。』

『哇，這麼多啊！用不完。』小姑娘驚愕道。

『剩下來的，給大姐買花粉吧。』正德皇帝笑著說。

不一會兒，一桌上好的酒菜擺在桌上，正德皇帝問小姑娘道：『你叫什麼名字？」

「李鳳姐。」小姑娘有些害羞。

「李鳳姐，好一個李——鳳——姐啊！」正德皇帝竟把李鳳姐的名字唱了起來，並且接過酒杯時，竟摸了一下李鳳姐的手。

「咦，你這人怎麼不老實，亂摸人家。」鳳姐大聲叫嚷。

「哦，想是我這些天未曾騎馬射箭，指甲長了，搔了大姐姐一下也是有的。」

「我的指甲也長，怎麼不搔你？」

「哦，大姐也要搔我，我出生以來，還未曾有人搔過我，請吧！」正德皇帝伸出了手掌。

『那我就不客氣啦！』鳳姐說著，真的用指甲戳了一下，正德皇帝看到鳳姐嬌憨的表情，樂得大笑起來。

『軍爺，你家住在哪裡？』鳳姐用好奇的眼光望著客人。

『我住在天底下。』

『才怪，哪個人不住在天底下。』

『我這天底下與別人不同，北京城裡有一個大圈圈，大圈圈裡有一個黃圈圈，我嘛，就住在黃圈圈裡。』

『你說什麼啊？』鳳姐迷惑的側著頭。

『鳳姐，我告訴你吧，我是當今的正德天子。』

『天子？』鳳姐大笑起來：『我看過戲裡的唐明皇，一大把花白鬍子，你一點都不像。』

『鳳姐，來看。』正德皇帝脫去了外罩的軍服，裡面是皇帝的龍袍：

『我若不是眞皇帝的話，穿龍袍可是要殺頭的啊。』

鳳姐看到繡有五爪金龍的龍袍，一時呆住了，半晌『噗』一聲，雙膝跪下，不斷叩頭。

『哈哈，鳳姐起來，不要害怕。』正德皇帝扶起了鳳姐：『朕喜歡你的純眞可愛，今夜朕就住在這裡了。』

『是，只是我的房間很小，怕委屈了皇上。』鳳姐的話有些顫抖，不知是興奮還是恐懼。

『沒有關係，朕歡喜的是你的人啊！』

第二天清晨，正德皇帝離開了龍鳳酒店，行前，告訴鳳姐，回京後就派人來接鳳姐進宮。

望著正德皇帝的背影遠去，鳳姐倚在店門口，淚眼朦朧，心裡的滋味眞是說不出來。

時間一天天的過去，皇帝不但沒有派人來接鳳姐進宮，連派個使者傳信都沒有，顯然，皇帝忘記了梅龍鎮上的一夜風流。鳳姐終於病倒了，那是爲相思的情意而病倒，還是受到左鄰右舍的冷嘲熱諷而病倒，沒有人知道，最後李鳳姐憂鬱而卒。

這個故事只是傳說，不過，和正史中明武宗的性格還眞像。

閱讀心得

【第884篇】

明武宗從小被溺愛。

『梅龍鎮』一戲之中，正德皇帝與李鳳姐的故事究竟是眞是假，因爲正史上沒有記載，無法考證。不過，明武宗正德皇帝是歷史有名的太保皇帝，荒唐好色的故事史不絕書。

俗話說：『知子莫若父。』明孝宗非常清楚他兒子是怎樣的德行。孝宗弘治十八年五月，孝宗身體不適，他自知不久於人世，於是，孝宗派太監把劉健、李東陽、謝遷喚到乾清宮來。

孝宗換了便服，半躺在軟榻之上，用極其微弱的聲音說：『朕承祖宗大統，在位十八年，到今天已三十六歲了，哪裡曉得患了這個病，體力不支，所以與諸位先生最近相見的時候比較少，日後，也不再有機會了！』

劉健心中一酸，忙道：『陛下萬壽無疆，何必如此說話。』

孝宗擺擺手：『朕自己知道，生死有命，不可強求也。』說著，不斷咳嗽，低聲呼叫：『倒水來。』

這時，掌藥太監張愉捧了茶來，並且說：『萬歲爺該用藥了。』

孝宗不理太監，繼續說道：『朕一直謹守祖宗法度，不敢怠忽政事，當然還是仰仗諸位先生輔助之力。』講到這兒孝宗吃力的伸出手，想要握劉健，劉健趕忙把手遞上去，眼角滲出了點點淚珠。

孝宗拉著劉健的手，黯然道：『朕蒙皇考（指明憲宗）厚恩，選立張氏為皇后，而幸有了太子，今年已經十五歲了，尚未完婚，社稷事重，可即令禮部舉行。』

『臣遵旨。』劉健叩了一個頭。

接著，孝宗憂心忡忡道：『東宮聰明，但是年紀輕，好逸樂，諸先生請輔之以正道，使成明主。』

三位大臣異口同聲：『臣等敢不盡力？』

由此可見，明孝宗臨終之前，最不放心的就是明武宗。

明孝宗是一個遵守禮法、勵精圖治、不近女色、鑽研佛法，相當拘謹老成的人，怎麼生下一個兒子，完完全全不像他，這是有道理的。

明孝宗與張皇后夫妻恩愛，生了二個兒子，幼子夭折之後，對老大特別疼惜，明武宗生於孝宗弘治四年十月，第二年就立為太子，由於他是明朝四代以來，唯一由正宮娘娘所生的太子（在他之前，英宗、憲宗、孝宗都是妃子所生），因此不但爸爸疼、媽媽疼，連大臣們都格外看重。

再說，明孝宗身世悽慘，直到六歲方才父子相認，就是認了之後，憲宗也從來沒在他身上花心思，所以，感情濃厚的孝宗，把童年的遺憾全部都想在武宗身上尋回，當然寵愛異常。

此外，明武宗小時候雖然調皮，卻也十分健壯活潑，孝宗自己身體弱，看到兒子雄壯有力，心中歡喜，他要什麼都依，無形之中，讓武宗愈來愈任性。

武宗小時候，他的確有他可愛的一面，譬如說，他讀書還算用功，對老師也有禮，還會拱手相送，跑來跑去，勇猛得像隻小牛，挺好玩的。

由於武宗跳跳蹦蹦，與英宗、憲宗、孝宗體弱多病大不相同，所以有人說：『太子像太祖。』甚且有人說：『太子的相貌頗似太祖。』『太祖如果在世，一定慶幸大明朝後繼有人。』

此話一說，這個太子的身價更不得了。張皇后對武宗溺愛非常，有時孝宗嫌他過於淘氣，張皇后總是說：『太子還小嘛，大了就好，萬歲爺小時候不也這樣。』孝宗小時候哪有如此好命，孝宗一想起安樂堂中的悲慘童年，既自傷又自憐，於是更捨不得剝奪太子的快樂，似乎在太子的放縱享樂之中，彌補了心頭的一個缺憾。

太監們察言觀色，發現明孝宗雖是一個呆板的小老頭，卻不反對太子盡情遊樂。於是，個個使出渾身解數，帶太子到處樂一樂。

據說，有一天，一個太監帶來一隻猴兒和一隻小狗，猴子騎在狗身上，猴子東瞧瞧，西看看，模樣還挺神氣的，太子一見就笑開了。於是，太子用一根繩子，把狗牽到了奉先殿，看一猴一狗耍寶，有趣極了。

突然之間，外頭有人放爆竹，猴子一驚，滾下狗身，用雙手摀著耳朵，嚇軟了手腳，狗兒也怕了，著急的不曉得該往哪兒躲。

太子拍手笑道：『原來，你們如此不中用。』

頃刻之間，電閃雷鳴，狂風豪雨，奉先殿原本陰暗，現在輪到太子自己害怕了，一面跑一面哭。

後來，張皇后曉得太子受驚，心疼萬分，她不僅不告誡太子，奉先殿是敬天祭祖之地，不能狎戲，反而吩咐太監，讓他們多幾個人爲太子壯膽，讓太子再去奉先殿逗猴玩狗。

張皇后的溺愛，讓明武宗這個太子，完全不知道自制與自律。

閱讀心得

【第885篇】

劉瑾物色雜耍高手。

明弘治十八年五月十八日，十五歲的朱厚照登基爲帝，下詔自明年開始，改年號爲正德，是爲明武宗。

武宗從小貪玩，太監劉瑾、馬永成、高鳳、羅祥、魏彬、邱聚、谷大用、張永最得他的寵愛，尤其是劉瑾，武宗恩寵異常，這八個人，號稱爲『八虎』。

劉瑾，原爲陝西興平人，他本姓談，景泰年間，由一個姓劉的太監帶入宮中，改爲姓劉，史書中形容劉瑾『性情狡猾狠毒，尤其羨慕宦官王振。』

明孝宗生活嚴謹，用不著劉瑾這般的人，劉瑾甚且因細故被判了死罪，攆到憲宗的茂陵去管點香。

後來，太子漸長，劉瑾被調回宮中，掌管鐘鼓司，所謂鐘鼓司。就是掌管朝參的鳴鐘擊鼓，以及宮內的休閒雜戲。但是，劉瑾就利用這一層機會，很快的爭取到太子的好感。

劉瑾不惜工本，自民間物色到各色各樣雜耍高手，讓太子大開眼界。

中國古代的雜技，充實而豐富，早在夏禹時期就已經萌芽，可惜許多雜耍今已失傳，沒人能表演，否則，即使以今日眼光，仍然歎爲觀止。

劉瑾恭謹的對太子說：『今天先上演自宋朝傳下來的七寶之戲。』

太子拍手道：『好，一聽名稱就是好戲，由哪七個人主演啊？』

『稟報太子，七寶並非七人，而是七種魚。』

這下太子更樂了，只見藝人端來好大好大一個水桶，然後依序把白魚、墨魚……等七種魚放入，這七種魚群個個還給戴上了假面具，十分好玩。

接著，藝人敲著鑼，高喊：『墨魚！』一群墨魚就游到水面，戴著面具游來舞去，太子樂壞了。表演完後，墨魚集體沈入水面，彷彿退到幕後。

此時，藝人又高喊：『泥鰍！』奇怪，泥鰍就知道上場，戴著滑稽的小面具表演，完全訓練有素的專業風範。

太子開心極了，太子是明孝宗與張皇后的心肝寶貝，太子一樂，張皇后吩咐劉瑾再獻新花樣。

沒有多久時日，劉瑾再獻上『蝦蟆教學』。只見藝人帶來九隻蝦蟆，其中最肥胖最大隻的，劉瑾說：『這是老師蝦蟆。』太子聯想到自己的胖老師，馬上笑彎了腰。

老師蝦蟆很有威嚴，當牠一蹦一跳在大木頭上坐定，其他八隻小蝦蟆也安靜的各就各位。

藝人高喊：『上課！』於是老師蝦蟆『嘎』一聲，八隻學生蝦蟆也『嘎』一聲，老師蝦蟆『嘎嘎嘎』，小蝦蟆也乖乖『嘎嘎嘎』。

更不簡單的是，接著，小蝦蟆一個個輪流走在講台旁，老師蝦蟆教訓一番之後，小蝦蟆還懂得一點頭再轉身爬走，頗有『尊師重道』的美德。太子看呆了，命令藝人再來一回，這一回，他也學著小蝦蟆嘎嘎叫，接受老師蝦蟆的教導。

劉瑾手中的玩意還不少，從此太子深深被劉瑾給的玩意吸引住了，甚麼角力、舉鼎、投壺、弄劍、鳳凰銜書（長尾雞上下飛翔，然後口中能掉出吉祥賀詞表示皇恩浩蕩），或是走繩（將繩子二端固定，懸空，美麗的女藝人在繩上凌波起舞，表演特技）、馬戲、煙火表演等等，太子樣樣都有興趣，一天見不到劉瑾，簡直就要鬧翻天。

當太子年齡漸大，青少年體力旺盛，傾向喜歡較刺激的節目，尤其鍾愛相撲。

所謂相撲，就是互相撲過來、摔過去，古代稱之爲角力、角抵。到了宋朝，普遍稱之爲相撲，岳飛曾把相撲做爲訓練士兵的必備課程之一。後來傳到日本，深受日本人喜愛。

太子最愛的是『喬相撲』，意思是假裝表演相撲，用棉花、布帛、稻草製成兩個偶像，表演者躲在衣服裡頭，乍看之下，兩個人互相扭打，輪番摔跤，你推我拉，絆腿掐脖，正在難分難解，突然表演者翹起屁股，故意讓觀眾發現眞相，讓觀眾笑翻了，揉著肚子喊疼。

太子胃口愈來愈大，劉瑾要多方物色，才能滿足太子，否則太子會以不吃飯抗議。不過，劉瑾總是有辦法讓太子開懷大笑。

譬如『入馬腹舞』，這是西域傳來的幻術，一個人自馬後鑽入馬腹，然後突然自馬嘴之中鑽出來，其他如鋼刀砍身、臥箭上舞也是糅合了氣功與幻術的精彩表演。

又譬如『續頭法』更不簡單，只見一個小毛頭上了場，整個人臥在一張長凳子上，然後藝人手舉鋼刀，『嘩』一下，把小孩的頭給割了下來，然後，用布把頭和身體蓋住，一會兒頭又接上了。

太子看了好興奮，嚷著也要割頭，嚇得藝人討饒：『不成，這是幻術，如果太子你這一砍，我小兒的頭真要搬家了。』

劉瑾弄了這許多有趣的雜耍來，讓明武宗在太子時代就離不開他。

閱讀心得

【第886篇】

焦芳耍無賴。

明武宗生性貪玩，太監劉瑾投其所好，從民間找來了各式雜耍藝人，形形色色的把戲將武宗逗得樂不可支，簡直不能一天見不到劉瑾。

事實上，劉瑾本人根本不喜歡任何雜耍，他自視頗高，看不起這類瑣碎的東西，劉瑾讀過幾天書，經常怨歎命運不濟，老天無眼，他自問比起含著金匙出身的武宗高明太多，因此，他暗暗以王振爲師，明英宗對王振言聽計從，劉瑾相信，自己也有這等能耐，讓明武宗逃不了他的手掌心。

正德元年元月，劉瑾終於如願以償，掌管神機營下的五千營，京營裏火力最強的是神機營，神機營中最精銳的部隊在五千營，劉瑾手中有了這張王牌，大家都對他刮目相看。

當然，劉健之類有品格的老臣，誰也不願答理劉瑾，可是自有那焦芳之流，趕著上前巴結。

明朝中葉以前，士大夫講求名節，附和宦官的無恥士大夫尚未能眞正橫行霸道，一直到焦芳出現，才改變了情勢。焦芳以內閣大學士之尊，居然向劉瑾獻媚，明代的『閹黨』（宦官是被閹之人，依附宦官的人被稱爲閹黨）才形成了氣候。

焦芳是河南泌陽人，天順八年進士，這位進士，走到哪裡，人人側

目，因爲他粗裏粗氣，坐沒坐相，站沒站相，大呼小叫，毫無半點文化氣息，讓人懷疑他是否受過教育。

中國古人一向重視同鄉關係，因此，當時的大學士李賢儘管見了焦芳，忍不住皺起眉頭，但是看在焦芳是河南泌陽人，李賢自己是河南鄧州人這一份同鄉情誼上面，選焦芳爲庶吉士，授職爲編修。

焦芳平時歡喜賭錢，他的牌品極壞，不論輸贏全要罵人，如果贏了，焦芳就神氣活現：『你們如此笨，也想贏我？』如果輸了，更是破口大罵：『準是其中有詐，這一局不算不算。』

久而久之，沒有人敢再與焦芳賭錢了。焦芳雖然不學無術，卻自認滿腹經綸，並且自己給自己取了一個『焦才子』的外號。

當焦芳做了九年的侍講，依照考績規定，應當升爲侍講學士，這時有人跑去對大學士萬安說：『像焦芳這樣的人，也能當學士嗎？』

焦芳聽到這件事，勃然大怒，公開表示：『這八成是彭華在講我的壞話，假如我當上學士也就罷了，否則看我不殺了他！』

焦芳這種流氓作風簡直是耍無賴。但是彭華可嚇壞了，其實，他豈有膽子批評焦芳，聽說了焦芳的威脅，他帶著厚禮去求見萬安：『拜託，既然焦芳對我有誤會，無論如何，他一定得當上學士，否則我的小命難保。』說著說著，竟然嗚嗚咽咽，兩條腿不斷的顫抖。

於是，焦芳如願以償當了學士。

當時，彭華奉旨修《文華大訓》，並且進講東宮，焦芳十分嫉妒，因此到處批評彭華，每次彭華講完，他就到處嘲諷，這兒說錯了，那兒講錯了，其實，往往是焦芳自己錯了。但是，因爲焦芳有指著旁人鼻子破口大罵的習慣，誰也不敢惹惱他，他連老臣劉健也不放過。

劉健根本不理會焦芳，他對旁人說：『一個人在街上遇見惡犬，難道也學著惡犬吠回去嗎？』劉健把焦芳比作惡犬，眞是貼切得很。

馬文升升爲尚書，焦芳心中羨慕，也用侮辱馬文升的方式，彌補心中之不快。

總之，焦芳這個人，人緣壞到了極點，朝廷上下，人人敬而遠之，避之惟恐不及。不過，別看焦芳是個老粗，卻也有粗中帶細的時候，他透過劉宇的關係，結交了劉瑾，並且在武宗面前製造了一個好印象。

事情是這樣的，武宗這個紈絝子弟，花錢如流水，他心中從沒有節儉的念頭，只有放任與揮霍。有一天，大臣們在會商國政，提到了財政問題，戶部尚書韓文忍不住就感慨萬千道：『目前國庫空虛，談到理財二字，又不是西域幻術，唯有勸皇上節用才是。』

類似這樣的會議，一定有多事的太監在外面偷聽。焦芳站了起來，用力的一拍桌子，故意氣憤的大聲嚷嚷：『這話太不像句人話了，一般平民百姓之家，也都有些額外的用度，就是一個縣老爺也不得了，何況是皇家。再說，俗話說得好：「無錢揀故紙」，如今天下積欠的錢糧、逃匿的稅收，簡直不計其數，我不明白，爲什麼韓尚書不知道加緊催討，只曉得限制皇上的用錢。』

焦芳這一番話，透過太監的口，傳到了武宗的耳朵裏，武宗覺得窩心之至，再加上劉瑾的進言，不久之後，焦芳便由禮部右侍郎一躍而爲六部之首——吏部尚書，讓天下有識之士傷心不已。

閱讀心得

【第887篇】焦芳拜倒劉瑾腳下。

焦芳靠攏宦官劉瑾的消息，很快的就傳開來，雖然焦芳平日人緣奇壞，毫無修養，朝廷內外仍然大吃一驚，畢竟焦芳還是天順八年的進士啊。

明朝中葉以前，士大夫注重名節，縱然有王振、汪直的專橫，到底是一群太監用事，士大夫瞧不起宦官，平日也盡量少與往來。

焦芳是第一個拉下臉來，不顧尊嚴，公然依附宦官的，爲了討劉瑾喜悅，每次老遠見了劉瑾，焦芳彷彿練了易容術，把一張緊繃著準備罵人的臉，剎那之間，轉換爲一張謙卑惶恐的面皮，他恭敬的尊劉瑾爲『千歲』，自己則自稱爲『門生』。

非僅如此，等到劉瑾轉身走遠，焦芳仍然鞠著躬，哈著腰，撅著個屁股恭送劉瑾。劉瑾固然身後沒有長眼睛，卻曉得焦芳在巴結，有一次，劉瑾放了一個響屁，好臭好臭，焦芳依然恭敬的在背後彎腰吃屁。

因爲劉瑾的勢力太大了，焦芳的醜行反而引起了仿效，《明史》中談到這一段，十分的感慨：『焦芳以閣臣，首先與劉瑾阿比，於是列卿爭相獻媚。』

最奇怪的是，焦芳明明當眾出醜，他卻老是拍著胸口，篤定的說：

『今朝廷之上，哪一個人有我焦芳正直。』他說此話時一臉認真，沒有絲毫的羞愧。

老臣劉健一聽到焦芳，就覺得翻胃，噁心的想吐，他知道，沒有劉瑾就不會有焦芳的醜行，沒有武宗的信賴，劉瑾也出不了頭，皇帝啊皇帝，你爲甚麼不爭氣一點呢？

劉健不僅難過，並且強烈的自責，他眼前不斷的重映孝宗臨終之前，緊緊的握著他的手，以哀求的口吻拜託：『請先生輔之以正道，使成明主。』

倘若皇帝不是皇帝，而是普通十四、五歲的青少年，既然是受託教育孤兒，他一定不客氣的責罵，甚且狠狠打一頓，可是，皇帝終究與常人不同，在古代君臣倫理觀念之下，老臣也是臣，怎敢教訓小皇帝，更別說是責打了。

就以經筵一事而言，明孝宗重視經筵，經筵是皇帝親自挑選博雅耿介的儒臣，按日進講聖賢之道、朝政得失，明孝宗總是聽得津津有味，因為他的興趣就是把國家治理好，在旁的太子則頻頻打瞌睡，不耐煩極了。

因此，當太子即位，這位明武宗立刻以『冬天太冷』為理由取消經筵，他寧可賴在床上蒙著溫暖的被窩睡大覺。

劉健讓武宗偷懶了二個月後，奏請恢復。恢復是恢復了，明武宗可沒多大興致，他喜歡的是擊毬走馬、放鷹逐兔、俳優雜劇這些好玩逗趣的遊戲，什麼讀書啦，朝政啦，聽著便煩，乾脆不理。

沒多久，武宗又發現一件好玩的事，他經常挑選一匹快馬，挾帶弓矢，一溜煙的便單騎跑出了宮門直奔郊外，射殺鳥雀。

麻雀飛得快，武宗的馬也飆得飛快，他一心射中麻雀，完全不在乎安全，有一次跌下馬來，幸無大礙，武宗立刻翻身上馬，再衝再奔，過癮之至。

劉健自從聽說武宗出了宮門，不免提心吊膽，胃也抽痛，心臟也撲通撲通跳個不停，他勉強坐下，喝了一口水，安慰自己：『放心放心，皇帝身手矯健，沒問題的。』又不免害怕，萬一有個閃失，如何了得。

因此，劉健上了一則緊急奏章給武宗：『以前漢文帝從霸陵準備西馳，袁盎勸諫漢文帝，若是馬驚事敗，如何對得起高廟太后？古人說家累千金，坐不垂堂，何況陛下負託之重也。』

所謂家累千金，坐不垂堂，垂堂指的是堂邊近階處屋簷下，擔心簷瓦落下，可能傷人。意思是說，家有千金的人，身價很高，凡事宜小心，謹愼保身也。

武宗看到奏章，順手一揉，不耐煩道：『好嚕嗦。』

不久，武宗在劉瑾的惑動之下，把皇莊數量增加到三十多處，造成民眾不安，同時下令，每一個在外監軍的鎭守宦官，必須每年向皇帝上貢萬金，才能保證自己不被召回。這無異是鼓勵那些監軍的宦官努力貪污，而那些鎭守各地的宦官遵守詔示，也盡力向地方搜括，一方面是爲皇帝而貪污，一方面當然是爲自己而貪污。

說也奇怪，明武宗許多惡德敗行，似乎連老天爺也生氣了，正德元年天鼓鳴；二月陝西地震，白天見到星斗；到了六月十三日那一天，突然之間，風雨大作，『雷震郊壇獸瓦』；半個月以後，南京又遭到『雷震孝陵白土岡樹』；七月十二日，紫微星座旁邊，竟然出現了一顆奇奇怪怪、顏色蒼白的新星。

中國古人一向是相當迷信的，何況，皇帝還眞的做了不少壞事，因此朝廷上下有識之士，不免爲之惴惴不安。

閱讀心得

【第888篇】

劉健老淚縱橫。

明武宗即位，年輕力壯，精力彷彿永遠用不完，全部用在日夜嬉玩，放任劉瑾等號稱八虎的宦官用事，朝廷上下憂心不已。

戶部尚書韓文一想起來，就會老淚縱橫、焦慮不安，夜夜失眠。韓文是宋朝名相韓琦的後人，據說他生下來的時候，他父親夢到一個紫衣人抱著文彥博進門，文彥博是宋朝大儒，出將入相，因此父親爲小嬰兒取名爲韓文。

有一回，韓文與李夢陽談起來，愈說愈激動，忍不住雙手蒙著臉，淚水自指縫中溢出，李夢陽突然噗哧一笑。

這一笑把韓文惹怒了，他問李夢陽：『你還笑得出來？』

『是啊，是很好笑，身爲國家大臣，旁的不會，只會哭，怎麼不好笑！』

原來，李夢陽用的是激將法。

韓文用手捋起鬍鬚，用力向後一甩，下定決心道：『你罵得有理，我這把年紀死也夠本了，不死也不足以報國，你趕快代擬一道奏疏，我來聯絡内閣大臣，非把八虎除盡。』

當天晚上，李夢陽就連夜寫了一道奏疏，一大早急著交給韓文。

韓文邊看邊搖頭：『你是復古派，文章寫得富麗堂皇，是篇精彩古文，可惜今上肚子裡墨水有限，恐怕根本看不懂。』於是，他捲起衣袖，自己動筆，然後，聯絡六部九卿，個個都同意聯名。

一場驚天動地的政爭，火辣辣的展開了。

韓文的奏疏，寫得相當厲害：『近歲以來，太監馬永成……置造巧僞，淫蕩上心，或擊毬走馬，或俳優雜劇……勞耗精神，虧損聖德，致使天道失序……請將永成等抓起來送到法司，以消禍萌。』

明武宗即位以來，從來沒有看見這麼措詞嚴厲的奏章，到底他還是個十六歲的青少年，一嚇之下，竟然『哇』的一聲哭了起來。明武宗心想：『如果八虎不在身邊，日子怎麼過下去？』因此司禮太監李榮、陳寬、王岳三人代表皇帝，與大臣們溝通協調。

李榮很會講話，他先給大臣們戴一頂高帽子：『各位大人憂君愛國，令人感動，不過，這八個奴才伺候皇帝非一日，自不忍心立刻處置，過一陣子，皇上自有處置。』

吏部侍郎王鏊回了一句：『如果不處置怎辦？』

李榮指一指脖子：『全包在我身上，我脖子上又沒有鐵片，難道不怕砍腦袋。』

有了這番保證，韓文等人講不下去了。

可是，六部九卿被安撫下來，三閣老可不肯讓步，李榮提議將八虎送到南京去守明太祖的陵墓，劉健也不同意。

劉健說到憤慨之處，他把桌子一推，哽咽的吼道：『不行，非照原議，把八虎送入獄中，先帝臨崩，緊緊捉住老臣的手，交付大事，今日陵土未乾，國事敗壞如此，臣死之後，拿什麼面目去見先帝。』

這一番嘶吼，讓被派去斡旋講情的王岳也爲之激憤，王岳原也是個有正義感的人，他被劉健一番肺腑之言所激勵，大義凜然的回稟皇帝：『閣議有理。』

明武宗一時之間慌了手腳，只好答應：『明日早朝降旨逮捕八虎。』

吏部尚書焦芳得到消息，不惜出賣同僚，黃昏時刻，暗訪劉瑾。

八虎聽到焦芳的報告，大爲恐慌，連夜到武宗面前，一齊跪下，哀叫『萬歲爺趕快救命啊……』

於是，八虎又是磕頭，又是哭泣，又是捶胸頓足，彷彿馬上就要去見閻王爺了。

『怎麼回事？』武宗訝異道。

『不得了，我們快要被餵狗了。』

『誰欺負你們？』

『還不是王岳，胳膊往外彎，吃裡扒外，勾結百官，除掉我等，存心讓萬歲爺難堪。』

武宗這話聽入耳了，他問：『那怎麼辦？』

劉瑾一昂首：『萬歲爺平日養咱們是幹甚麼的，當然由奴才來辦此事。』

武宗正愁不知明早該怎麼辦，立刻高興的説：『對，你們趕快想辦法啊。』

劉瑾又挑撥道：『萬歲爺不過玩些狗馬鷹犬，所費無多，全是司禮監無能，外朝的文官才敢欺負皇上，如果找一個能幹的人做司禮監，那些外朝的傢伙怎敢亂來？』

武宗覺得有理，馬上決定：『那麼，劉瑾掌司禮監，馬永成掌東廠，谷大用掌西廠，你們連夜把王岳等這幾個不會辦事的太監逮捕起來。』

劉瑾等八虎喜出望外，不斷的叩頭謝恩。

就這樣，頃刻之間，整個局面爲之改觀。

閱讀心得

【第889篇】

明武宗逛內市。

明朝大學士劉健、謝遷等人受了明孝宗的顧託之命，眼見明武宗日夜與號稱八虎的八個宦官嬉玩，奏請誅殺八虎，整飭綱紀。

武宗原已準備次日早朝降旨逮捕八虎，不料，焦芳告密，劉瑾先發制人，一夜之間，風雲變色，劉瑾取代王岳，八虎重新抬頭。

第二天一大早，劉健等人興奮莫名，期待從此以後，國家步入新氣象。

劉健接到聖旨，臉色慘白，白得像紙。

謝遷問：『怎麼了？身體突然不舒服？』

劉健一言不發，把聖旨遞給謝遷，謝遷迅速看完，咬一咬嘴唇：『該是辭官的時候了。』說著，緩緩的摘下了烏紗帽。他並不戀惜官位，只是不甘心功敗垂成，事情怎麼會一夜生變，此時，焦芳倒也不諱言前往告密。老臣們相對無言，只覺得想大哭一場。此時此刻，明武宗正優優閒閒，換上便服，由小太監阿吉陪著，悄悄溜出宮去，到內市閒逛。

明朝北京的玄武門宮門外設有內市，每逢四、十四、二十四日開市，准許人民進入買賣。

內市之中，有幾家特殊的店鋪，不必遵守規定，可以天天做買賣，不用說，這一定是太監或者皇親國戚開設的，這些店名分別是寶和、和遠、順寧、福德、福吉、寶延，共六家。

這一天，正值內市開市的日子，所以人潮洶湧，熱鬧非凡，各種店鋪生意興隆。

明武宗來到一家布店，只見店內擠了不少顧客，大家都在挑選布料，討價還價，人聲嘈雜。

『老闆，你這人做生意太不老實，這塊布你賣我十文錢，我的鄰居李二枴向你買，你只收他八文錢。』一個彪形大漢怒氣沖沖的拿著一塊布料向老闆責問。

『小店做生意一向童叟無欺。』店主堆著笑臉，向大漢解釋道：『您老可別誤會，一定是不同的料子。』

『胡說。』大漢仍然用高嗓門吼道：『李二楞的布料跟這塊花色一樣。』

『花色一樣，質料可不一定相同，我拿兩塊布料給您看。』老闆依舊和顏悅色。

『這……』大漢摸一下，果然不同，只好吶吶的說：『好吧，我再去和李二楞比一比布料。』

大漢低著頭走了，像隻鬥敗的公雞。

明武宗看了很感興趣，便走過去拿起那兩塊布料，笑著對老闆說：『老闆，你的脾氣很好啊。』

布

『客官過獎，生意人講究的是以和爲貴，以理服人。』老闆謙和的說：『客官是不是要選料子？』

『嗯，我想選幾塊布料。』武宗點點頭。

『請，請，這裡面有十幾種新花色，請客官到裡面挑選。』老闆躬著腰請武宗進入店內，不經意回頭瞟了一眼，發現小太監阿吉跟在客人身後：『阿吉，你怎麼有空跑到這兒來，不當差啦？』

『噓！』阿吉附在老闆耳朵邊，輕聲的說：『這是皇上，你可得小心伺候。』

『皇上？』老闆心下一驚，幾乎叫了出來。

『看你緊張的樣子，還不小心伺候！』阿吉擺出一副神氣的姿態。

布。

『是，是。』老闆趕緊轉身趕到武宗的身後，這時武宗正拿起一塊花

『這塊布多少錢？』武宗問。

『這……皇上喜歡，儘管取去，小民奉獻給皇上。』老闆邊說邊跪了下去，不斷的磕頭。

顧客們一聽皇上來了，這可不得了，驚奇的轉過頭來，發現老闆跪在地下，一定假不了，也就立刻匍匐在地，高聲叫道：『皇上萬歲！』

看到一屋子的人全跪了下來，喧嘩的聲音消失了，武宗有些不高興：『好啦，我是來買布的，這樣還買得成嗎？算了，阿吉，回宮吧。』

皇上駕到的消息立刻傳了出去，當武宗走出了布店，發現街上安靜得

出奇，沒有一個人在街上走動，原來大家都跪伏在地上，大氣都不敢喘一下。

一隊士兵快速的跑了過來，到武宗面前，全體跪下。

『你們這是幹麼？』武宗皺著眉頭道。

『保護皇上。』爲首的軍官高聲回答。

『回宮吧。』武宗不耐煩的擺擺手。

回到宮裡，劉瑾已在恭候。

『掃興。』武宗一屁股坐到太師椅上，開始發脾氣：『我想逛逛市場，看看熱鬧，誰想到大夥都跪在那兒，一點聲音也沒有，不像內市，倒像個鬼市。』

『皇上別生氣。』劉瑾一臉諂媚的笑臉：『皇上到內市，老百姓一看到皇上駕臨，哪敢隨意亂動，這也表示皇上的權威啊！這樣吧，皇上喜歡熱鬧，奴才來安排一下，讓皇上開開心。』

『那你就去安排吧，可要快一點，別掃了我的興頭。』

閱讀心得

【第890篇】

明武宗賣布。

劉瑾唯恐明武宗不貪玩，現在武宗既然歡喜市集買賣的玩意，劉瑾立刻著手安排。首先，在後宮冷僻之處，搭起一排竹棚，裡面放些桌椅櫃子，看起來又像簡陋的店面，又像地攤，接著，召集一大群宮女和小太監。

『大家聽著，』劉瑾用低沈而有威嚴的聲音說：『皇上歡喜市集，現在在宮裡架了一個臨時市集，你們分派一下，有些人賣米，有些人賣雜貨，要賣什麼你們自己去想。另外剩下一半的人裝成顧客，帶點錢來買東西。你們都要脫掉宮裡的衣服，換上老百姓的衣服，雖然這種買賣是做戲，可是要做得逼眞，就像眞的市場一樣。』

『皇上要來看我們演戲嗎？』一個太監問道。

『皇上不是來看戲，皇上自己也參加演戲。』劉瑾說：『記住，在市場上，你們不要把皇上當皇上，如果戲演得不熱鬧、不逼眞，當心你們的腦袋。』

第二天，劉瑾拿了一套粗布衣褲請武宗換上。

『你要幹甚麼？』武宗遲疑的問。

『今天請皇上到市場去。』劉瑾堆著滿臉笑容：『請皇上扮一個布店的老闆，皇上覺得可好？』

『好主意，朕可以好好樂一下了。』武宗跳了起來。武宗用最快的速度，換上了黑絨氈帽，灰藍色衣褲，一副小生意人的打扮，來到後宮的市場。這時市場上小太監和宮女早就裝扮成商人和顧客，來來往往，十分熱鬧。

小太監阿吉扮成小廝，挑著幾匹布，來到一個預留的空竹棚前，武宗命令阿吉把布一匹一匹攤開來，原來武宗今天要扮一個小布店老闆。

『來買布啊！』阿吉高聲叫著。

『阿吉，你這像在發布命令，做生意哪有你這樣吆喝的？來，看我的！』武宗指出阿吉的錯誤，然後捲起袖子，對著來來往往的路人大聲叫道：『本小店有上好的布料，綾羅綢緞，棉布麻布，應有盡有，請來參觀吧！』

於是有幾個路人走了進來，東挑西選。

『這塊綢子多少錢？』一個宮女問。

『這是上好的湖州綢子，二十文。』武宗把綢子用紙包起來，交給宮女，那宮女習慣的跪了下去：『謝謝皇上。』

『甚麼皇上！』武宗把臉板了起來，生氣說道：『這裡沒有皇上，你還不快滾！』

宮女嚇得拿起綢子趕快跑了出去，走了不遠，一個身著藍布大褂的男子擋住去路。

『你違反了劉公公的規定，讓皇上不高興，你該死！』那宦官喬裝的男子一把抓住宮女的衣領，不管宮女的哀求哭泣，一路拖走。那些『路人』都假裝沒有看到這一幕，繼續熱心的選購貨物。

武宗正在接待一位顧客，這位顧客脾氣不好，對布料不斷的挑毛病，武宗耐心的解釋著。

『這塊布多少錢？』客人問道。

『這是上好的羊毛料，只要三十文。』武宗陪笑著說。

『這塊料子多長？』客人又問。

『八尺，儘夠您做一件長袍。』武宗用手比畫著。

『我做短襖，只要六尺，你給我剪開。』

『這塊料子剪去六尺，剩下的二尺就沒人要了，不能剪。』

『你事先沒講不能剪，一定要剪。』

『你耍無賴，阿吉，快叫市正來評理。』武宗氣呼呼的說，市正就是市場管理員。

不久，阿吉帶了太監裝扮的市正前來，在市正身後卻跟隨了劉瑾。劉瑾手裡捧了一疊公文，見到武宗，便搶前一步，輕聲的對武宗說：

『這兒有幾件奏章，請皇上批示。』

『混帳，』武宗正要向市正說明顧客的無理，不料劉瑾夾在中間來搗亂，氣得武宗怒目責備劉瑾：『一些小事難道不會處理，我用你幹甚麼，蠢豬！』

『是，是，奴才處理。』劉瑾裝成很惶恐的樣子急急忙忙退下。

於是武宗和顧客在市正面前唇槍舌劍的吵了起來。

劉瑾抱著公文走出臨時市場，臉上露出狡猾的微笑。到了御書房，兩個小太監在門口恭迎，劉瑾大搖大擺到書房前，小太監端來一把椅子，讓劉瑾坐下。書桌旁邊放置了皇上坐的龍椅，劉瑾不敢坐。

劉瑾打開公文，第一件就是劉健和謝遷等人的辭官奏章，劉瑾拿起筆，以皇帝的口氣，批准劉、謝的辭職，另一個大學士李東陽因爲比較溫和，劉瑾覺得可以留下來，不會礙事，便又批示不准李東陽辭職。

劉瑾心中可樂透了，他可以堂堂正正的說，這是皇上親自授權要他做的事。

閱讀心得

【第891篇】

王守仁的金蟬脫殼計。

明武宗追求享樂，歡喜嘗試新鮮，扮作商人，與太監宮女玩起買賣的遊戲，並且假裝與顧客起了嚴重的爭執，找來市正調停。

這個市正當然也是太監扮演的，他指著明武宗道：『分明是你這個老闆不對，應當受罰。』

明武宗自小沒有被人指責過，市正的『應當受罰』反而逗得武宗開心。他讚許市正：『嗯，扮市正就該有這等威儀，好，今天到此爲止，朕有賞。』

於是，市場散了，一群人包圍著明武宗，前呼後擁，來到了『廊下家』酒家，廊下家位於玄武門西面，是太監開設的酒家，專供太監與宮女作樂。酒家中製造一種芳香味美、色澤殷紅的酒，稱之爲『琥珀光』。

廊下家的教坊女子與宮女，一見萬歲爺來了，又驚又喜，原本有些害怕，可是看到武宗放蕩不羈的樣子，也就肆無忌憚，盡情嬉笑。有人拉著武宗的手，有人扯武宗的衣服，有人緊挨著武宗說笑話。這種茶樓酒館，高談闊論、口沫橫飛的情景是武宗歡喜的，尤其看到那些女人裝腔作勢的巴結神情，武宗直樂得咧嘴大笑。

宦官劉瑾偷偷的看著武宗迷於酒色的狂態，心中萬分高興，他最喜歡看到武宗貪求享樂不理政事，如此一來，劉瑾才能夠大權獨攬啊。

自從劉瑾准了劉健、劉遷的告老還鄉，引起了朝廷內外正直大臣的強烈不滿，南京言官戴銑便聯合了十三道御史上疏，聲援劉、謝二人，並且加罪於八虎。

劉瑾一不做二不休，立刻僞造詔書，逮捕戴銑下獄，同時在午門外面，公開打戴銑的屁股，足足打了四十大板，打得戴銑皮開肉綻。自從明孝宗以來，一直到明武宗時代還沒有如此凌辱過官員，戴銑事件令全國震驚。

這個時候兵部主事，也就是鼎鼎大名的王陽明，聽說了這件事，氣憤到達了極點，不顧一切，上疏救戴銑，希望皇帝收回成命，免得在歷史上留下了污點。

劉瑾一看到王守仁的奏章，怒火上升，立刻把王陽明逮捕入錦衣衛，並且特別囑咐，在錦衣衛中重重責打王守仁，王守仁一個文弱書生，為了堅持一點人間正義，竟然被打得死去活來，幾度昏厥過去。

在肉體酷刑之後，王守仁被貶到貴州龍場驛，擔任管理驛站的小官，貴州在當時被認為是一個恐怖的地方，天無三日晴，地無三里平，人無三兩銀。王守仁聽說了這個惡耗，素來身體虛弱的他，實在支撐不住，一下子就病倒了，但是皇帝有命，不能不去啊，王守仁只得勉強上路。劉瑾把王守仁恨之入骨，不以將王守仁貶到貴州為滿足，派了刺客，一路尾隨，準備半途殺掉他。

王守仁知道劉瑾派刺客來謀殺自己，如果死在刺客手裡，實在太不值得，於是，他急中生智，當走到錢塘江邊時，悄悄的留下了一頂帽子、一雙鞋子，又留下一首遺詩：『百年臣子悲何極，夜夜江濤泣子胥。』以伍子胥含冤之事相類比，讓刺客以爲他已投江自盡。果然，王守仁的安排讓刺客誤以爲他已死，便回京去了。王守仁用金蟬脫殼的方式，撿回了一條命。

王守仁死裡逃生之後又如何，我們以後會繼續講。現在再回過頭來看劉瑾，他一天比一天忙碌，既得忙著假造皇帝的命令，又得陪著武宗玩，武宗精力充沛，永遠也不嫌累，劉瑾可是有點兒吃不消了。

於是，劉瑾想物色一個人來作武宗的玩伴，物色了許久，終於找到了，這人就是錢寧。錢寧身世不明，有人說他是鎮安人，錢寧自小被賣到錢能（就是前面說過那個錢能通神的錢能）家中當奴隸，後來，錢能死了，錢寧就繼承了他的錦衣百户的官職。

錢寧十分狡猾機警，人長得像是一個小猴兒，精得也像個小猴兒，一天到晚在劉瑾前面獻殷勤拍馬屁，把劉瑾逗得呵呵笑。

有一天，劉瑾把錢寧叫到跟前，對他說：『小寧兒，我想把你推薦給萬歲爺。』

錢寧心中狂喜，表面上卻裝作不樂意的樣子，搖著頭說：『不好，我歡喜跟著劉公公。』

劉瑾一聽，比較放心，拍著錢寧的肩膀道：『聽你這話，總算我沒有白疼你。去服侍萬歲爺是件好事，不過，你到了那兒，還是得要聽我的話。』

『不然，小寧兒該聽誰的？』錢寧一臉必恭必敬的表情。

『嗯，你知道就好了。』劉瑾點點頭。

錢寧年紀輕，與武宗相彷彿。初次見面，錢寧就露了一手，他左手開弓，右手也開弓，打了一套花拳繡腿的本事，但是倒也虎虎生風。

武宗很滿意，他指著劉瑾凸起的肚皮道：『你看，你愈來愈胖，跑都跑不動了，還是小寧兒好。』

劉瑾也不生氣，笑咪咪道：『小寧兒，你以後要好好伺候萬歲爺啊。』

閱讀心得

【第892篇】

都御史向劉瑾下跪。

明武宗年少貪玩，劉瑾投其所好，介紹了一位與明武宗年齡相仿、會鬧會玩的錢寧前去伺候明武宗。

小寧兒把武宗伺候得極佳，他年紀輕，又在外面花花世界混過，一天到晚出主意，帶著武宗玩得昏天黑地。

有一天，武宗半開玩笑對錢寧說：『小寧兒，你可真是孝順，我要有你這樣的兒子就好了。』

錢寧立刻趴在地上諂笑：『萬歲爺就把小寧兒當兒子嘛。』

『好啊，我就收你做義子吧，從現在起，你就改爲國姓。』

從此之後，錢寧成爲朱寧，朱寧還爲自己製作了名片，上面自稱爲『皇庶子』，身分立刻飛了起來。

有一天，劉瑾在宮門口遇到錢寧，立刻帶著一臉酸味說：『你現在不得了，是乾殿下了。』

錢寧一聽劉瑾語氣不對，嚇得連忙跪了下來，裝出一副惶恐的表情：『這全是劉公公一手提拔，小寧兒沒齒難忘。』

『你這是幹甚麼嘛！』劉瑾又笑呵呵的扶起了小寧兒。

由於劉瑾的權力日益膨脹，武宗一天到晚卻只顧著玩兒，所以當時人有一種說法：『本朝有兩個皇帝，一個是坐皇帝，一個是立皇帝。』坐皇帝是武宗，立皇帝是劉瑾，因爲劉瑾經常站在武宗身邊。坐皇帝的權威是明的，立皇帝的威嚴是暗的，暗的比明的更令人恐怖。

據說，凡是官員想要謁見劉瑾，拜帖上得恭恭敬敬書寫：『官某某頓首拜稟見』，甚且有人寫得更露骨：『門下小廝某某上恩主老公公。』

又有一個故事：有一天，著名的理學家邵二泉先生與同事一塊去見劉瑾，不曉得因爲甚麼細故，這位同事惹惱了劉瑾，劉瑾大怒，氣得猛拍桌子。邵二泉情急之下，不自覺的蹲了下來，撒了一泡尿。

邵二泉與同事告別了劉瑾之後，蘇州一位湯煎膠跟著來看望劉瑾，劉瑾與湯煎膠一向感情最好，稱呼他爲湯兄。劉瑾一見湯兄來了，急忙走下來，親熱的拉著湯煎膠的手走進來，劉瑾邊走邊對湯煎膠說：『你看看地下這攤水，這是你們無錫人邵二泉撒的尿。』

可想而知，邵二泉必然是窘極，因為理學家最講究修身，邵二泉如果不是嚇慌了手腳，絕對不會做出尿濕褲子的失禮之事。邵二泉當時實在是擔心，劉瑾萬一脾氣上來了，把他二人一起關入內行廠那可就慘了。

內行廠始於何時，史書中並沒有明確的記載，不過，史書中記載劉瑾『復立內行廠』，內行廠由劉瑾主持。

內行廠比東廠西廠還要殘酷，甚至東西廠都在它的監視之列。凡是被人抓入內行廠的，不論有罪無罪，或是戍邊，或是戴上重枷，這其間造成的冤獄，真是血淚斑斑。

平心而論，明武宗只是貪玩，並非暴虐，他不清楚劉瑾究竟幹了多少壞事，他只是交代劉瑾：『朕玩得正開心，你來問朕做甚麼，朕用你幹麼？』既然是皇帝如此交辦，劉瑾不能算是矯詔（假造皇帝的命令），他只是乖乖遵照皇帝的指示。

由於劉瑾權勢極大，經常把群臣的奏章帶回家中，和妹婿孫聰、華亭縣的土豪張文冕一起商量批示。由於劉瑾、孫聰、張文冕讀書甚少，所以批示的詞句都很粗鄙，大學士焦芳是劉瑾的心腹，便替劉瑾加以潤色。另一個大學士李東陽雖然不滿意劉瑾和焦芳的行徑，卻沒有勇氣批評。

劉瑾既然手握大權，便以自己的好惡愛憎來裁決，凡是不附和劉瑾的官員都予以降級或是貶官。官員們上奏章，常常會先用一份紅紙寫的呈給劉瑾，稱之爲『紅本』，然後再用白紙謄寫一份，送給通政司（通政司類似朝廷的總收發處），稱之爲『白本』。在奏章上皆稱劉瑾爲『劉太監』，不敢直呼劉瑾的名字。有一次，都察院有一份奏章，寫了劉瑾的名字，劉瑾看到以後，勃然大怒。

『這麼大膽，竟敢直呼我的名字，哪一個傢伙寫的，簡直是瞧不起我。』劉瑾高聲怒罵，把公文往地上一摔。

都察院的長官是都御史，當時屠滽擔任都御史，聽到劉瑾大發雷霆之事，趕緊率領都察院的御史們到劉瑾面前，長跪請罪。

『嗯，』劉瑾仰著頭，向下瞄了跪在地下的幾十名官員，用鼻子哼了一聲，然後用冷峻的聲調說：『我這個人是寬宏大量的，不會計較，不過

，下次可要小心了。』

『是，是。』屠滽跪在地上直磕頭，哪兒像是全國最高的監察機關（都察院）的長官。

屠滽帶著一批御史從宮中出來，冷汗早已濕透了衣領，不過心裡卻直呼好險，幸虧劉瑾沒有追究，否則，都察院的大小官員都會遭殃，包括他自己。

但是，屠滽似乎高興得太早了，第二天，劉瑾派出一大批爪牙，到全國各地檢察有無違法失職的官員，結果，好多御史都以各種罪名被貶或者被逮捕。

閱讀心得

【第893篇】

劉瑾廣收賄賂。

劉瑾當權，大肆收受賄賂，官員覲見皇帝是天經地義的事，皇帝接見官員也是分內當然之事，只因爲明武宗喜歡享樂，懶得見官員，因此，除了上朝之外，官員便很難得見到皇帝。

於是，劉瑾就利用這一個機會，凡是想要覲見皇帝的官員，一律要備厚禮送給劉瑾，請劉瑾安排覲見的時間，如果不送厚禮給劉瑾而直接請求覲見，不但白等幾個月見不到皇帝，甚至會被劉瑾扣上一個罪名，先成了囚犯。

有一個給事中，名叫周鑰，奉命去調查案件，給事中在明朝是監察官，常會被派去查案子。周鑰回到京師之後，因爲沒有收紅包，所以也沒有錢獻給劉瑾。劉瑾身旁的人恐嚇周鑰，如果不『孝敬』劉公公，後果會很嚴重。周鑰一聽就嚇得全身發軟，當晚就自殺了。

周鑰的自殺，引起了朝中一陣騷動，劉瑾的黨羽張綵向劉瑾說：『今天文武百官給你送禮，其實都不是用他們自己的錢，尤其是那些要上任的地方官，他們往往在京裡借錢來送禮給你，然後回到任所，大肆搜括，挪用公款，他們還說是爲了要給你送禮而不得不貪污，你豈不成爲全國怨恨的對象，你要小心啊！』

『這些傢伙竟然如此，我自有辦法對付。』劉瑾恨恨的捶著桌子。

這時，一個小太監捧著一個紅盒子走進來，打開一看，裡面是御史歐陽雲等十幾個人為了請劉瑾幫忙而送來的大紅包。

『正好，我就拿這些傢伙開刀。』劉瑾嘿嘿的冷笑：『對外宣布，這些人送來紅包，我劉瑾清廉無私，不接受賄賂，這些送紅包的人一律逮捕下獄，依法論罪。』

歐陽雲等人被逮捕，自己也不知道錯在哪裡，朝廷裡議論紛紛。劉瑾是『清廉無私』的人？簡直沒有人會同意，許多人相信這是歐陽雲等人的紅包送得太少了。

其實，劉瑾僅是一時發頓脾氣，偶爾來一次拒收賄賂，製造一下『清廉』的形象。對於收受賄賂，劉瑾可是堅持到底，貫徹始終的。所以，劉瑾一面要治一治歐陽雲等人的罪，一面又把四面八方送來的紅包立刻放進口袋。

舉一個例子：劉瑾下令全國各地巡撫迅速回京，這是以前從來沒有之事，主要的用意是要這些巡撫給劉瑾送厚禮。延綏巡撫劉宇沒有回京，劉瑾大怒，立刻命錦衣衛逮捕劉宇下獄。

宣府巡撫陸完過了期限才回到京師，立刻去見劉瑾的心腹內閣大學士焦芳。

『焦大人，我在路上生了病，所以耽誤了幾天，請焦大人代我向劉公公解釋一下。』陸完一臉憂慮的表情。

『事情怕不好辦，昨天延綏巡撫劉宇才被逮捕下獄。』焦芳故意皺起眉頭，神情凝重的說。

『我這裡有一份禮，送給劉公公，煩情焦大人代呈。』陸完從懷裡掏出一個大紅包。

『嗯，我可以效勞，但是劉公公可不容易見到。』焦芳露出一副爲難的樣子。

『焦大人，這份禮請收下，請焦大人多多幫忙。』陸完從懷裡又拿出一個紅包。

『哎呀，陸大人，這不好意思。』焦芳立刻眉開眼笑，接過了紅包：

『我一定盡力，陸大人請放心。』

過了兩天，陸完接到了皇帝的詔書，沒有任何責備，還誇獎陸完工作認眞，仍舊擔任巡撫。

劉瑾又頒布了一道奇怪的命令：所有在京城謀生的外地傭工，一律趕出城外。命令寡婦一律不許守寡，立即改嫁。他又下令，把城內沒有下葬的屍體全部火化。這些命令弄得全城騷動。

由於劉瑾下令把傭工全部趕出城，害得遠來京城討生活的酒保、磨工、水工，個個狗急跳牆。在城外東邊的朝陽門，聚集了一千多人，他們憤憤不平道：『既然劉瑾讓大家都活不了，我們也不能讓劉瑾活著再來害人。』因此，這批人個個捲起袖子，準備與劉瑾拚命。

劉瑾知道自己犯了眾怒，因此暗中命令內行廠的爪牙們不要嚴格執行，事態才逐漸緩和下去。

閱讀心得

【第894篇】

虎房變為豹房。

明武宗即位之時，還是一個不滿十四歲的青少年。武宗貪玩，劉瑾就想盡法子，讓他玩個痛快。只有這樣，劉瑾才能夠一手遮天，玩弄權謀。

武宗即位的第二年，立夏氏爲皇后。夏后呆呆板板，成天板著個臉，武宗沒有多大興趣。於是，武宗就往三宮六院到處亂闖，宮中妃嬪雖多，眞正稱得上美麗動人的卻不多，武宗相當失望。

武宗尤其不悅的是，不論他人到了哪裡，就有尚寢局的太監前來整理床鋪，掌管燈燭，並且記錄皇帝在哪一個妃嬪住所過夜。有一次，武宗發了脾氣，對著手執筆簿的太監大肆咆哮：『你們管朕這麼多，眞是煩死人。』

執事的太監一本正經的回答：『啓稟萬歲爺，這是祖先訂的規矩，保持將來皇后、妃嬪、宮女懷孕以後才能夠校對日期，保持龍種的血統純正。奴才只是依照規矩辦事，請萬歲爺息怒。』

既然這是祖宗傳下來的規矩，武宗也就不能反抗，內心裡卻時時想掙脫。

錢寧自從當了武宗的乾兒子，不斷努力盡孝心。有一天，錢寧對武宗說：『小寧兒聽說西域女子膚色雪白，輪廓深邃，容貌艷麗，非一般中原女子可比得上。』

武宗一向色迷迷，他興奮極了，連忙吩咐：『還不趕快弄來讓朕瞧一瞧。』

沒過多久，錢寧果然找來幾位西域女子，在武宗面前獻舞，她們一個一個皮膚白、鼻梁挺、眼睛大、睫毛長，與武宗平日見的女子大不相同，而且能歌善舞、婀娜多姿，落落大方，回眸一笑，把武宗的魂都勾走了。

武宗下令：『全都給我留下來。』可是，留下來又如何呢？宮裡人多口雜，規矩又繁，武宗想和這些美女親熱一下都很困難。

就在此時，錢寧拿出一張草圖，對武宗說：『請萬歲爺過目。』只見圖中重樓疊閣、富麗堂皇。錢寧在一旁解釋道：『這是一幅新的宮室設計圖，好處在於兩廂的密室，隱秘曲折，就是藏幾個人在裡面，若不曉其中奧妙，十天半個月都沒有人知曉。』

武宗一聽，眼睛都亮了：『那還不趕快動工。』接著，又一拍手道：『記著，要爲老虎蓋個房間。』

明武宗是個老虎迷，隔個二、三天，他就要去虎城看老虎，他養了兩隻白額虎，粗暴凶猛。武宗最愛丟個半隻牛入虎穴，看兩隻老虎翻撲抱滾，扭打爭奪。

新的宮室自正德二年八月開工，到正德三年春天完工。武宗不喜愛文謅謅的典雅名稱，他管正殿叫『太素殿』，大池爲『天鵝池』，至於密室，他最鍾愛的地方，乾脆就直接命名爲『虎房』。

虎房造好了，武宗又有了新寵，原來是廣西獻來的金錢豹。金錢豹的顏色美麗，肚皮是雪白的，身體是金黃的，由於身體二側有不相連接的環紋，有點像是銅錢，所以稱之爲金錢豹。

武宗前去參觀之時，金錢豹正慵慵懶懶的用舌頭舔自己的毛，舔得皮毛潔淨發亮。相形之下，老虎就顯得又髒又蠢。

武宗說：『豹比虎漂亮，身材也好，朕歡喜豹子。』

此時左右抬來一大桶牛肉，從鐵絲網旁邊投入，豹子走過來，嗅也不嗅，聞也不聞，自顧自的走開了。

『咦，怎麼一回事，豹子不餓嗎？』武宗十分詫異。

錢寧一拍腦袋：『對了，小寧兒想起來了，押送豹子的工人曾經說過，豹性愛潔，食物若是沾了塵土，牠就不肯吃了。』

武宗一聽之下，簡直是肅然起敬，不料豹子如此高潔，也罷，立刻下令，虎房自此改名爲豹房。

中國古人歡喜用倫理道德標準去評斷野獸，這是很可笑的。豹性愛潔，古書之中確有記載。其實，仔細想一想，豹子果眞是有此潔癖，在灰塵滿天的森林之中，該要如何過活？

其實，豹子不貪吃，那是因爲牠吃的都是高蛋白質的食物，耐得起餓，不像一般草食性動物，一天到晚都在找吃的。

另外一方面，豹子是獵食高手，牠不怕不能夠餵飽肚皮。體態修長，苗條好看，沒有贅肉，行動遠比獅子老虎敏捷。能跑、能跳、能游泳、能上樹，白天很少出來，多半窩在大樹的空洞裡，到了晚上，瞄準經過的獵物，一撲而下。先是咬斷獵物的脖子，再叼回樹上慢慢的享用，牠有力氣叼起比牠重三倍的獵物。

武宗愛煞了豹子，每天一定赴豹房察看。他總是親自拿著鋼叉，把一塊一塊的牛肉拋入籠中，豹子一竄而起，張開大口，接個正著，舌頭一翻捲，牛肉咕嚕下肚，一來一往，武宗玩得開心。

武宗聽說，若是把豹子養得熟稔了，牠會舔你的手、你的臉，甚至還半躺著，露出白白的肚皮，撒嬌讓你摸。武宗沒有這個膽子，只要遠遠看著豹子，丟一塊牛肉餵食，已經讓武宗過足了癮。

閱讀心得

【第895篇】

武宗朝會遲到。

自從豹房興建完，明武宗興奮異常。豹房裏面除了豹子外，還有珍禽、異獸、美女、寶玩，再加上許多暗藏機關的密室，武宗樂得一頭栽進去，乾脆就不再回宮了。

武宗貪杯好酒，每每左擁右抱，酒到便乾。錢寧等人還嫌武宗不夠怠惰，一不做二不休，竟然在酒裏摻『罌粟』，把武宗弄得『終日酣酗，顛倒迷亂』。

既然武宗天天喝得醉醺醺，第二天一早，哪兒起得了床上早朝。依照規定，皇帝每天早晨在奉天門會見文武百官。根據《明會典》的記載，先是一陣陣的擊鼓，奉天門大開以後，文武百官依序進入左掖門、右掖門，到達皇極門東西相向站立，靜候皇帝的來到。

在明孝宗時代，孝宗總是很早上朝，各衙門依照次序奏事，然後，皇帝回宮，百官依次退朝。可是，武宗完全不一樣，百官從黎明等到日上三竿，甚且到了黃昏時刻，武宗這才姍姍來遲。

百官等候上朝，本來就是一件苦差事，尤其對於年老力衰的官員更是難捱。明朝的朝儀規定嚴格，朝班內若是有人言語喧嘩、交頭接耳、咳嗽吐痰，一律算是失儀。御史或是序班官員不但要即時糾察舉報，並且得拿到皇帝面前請示處分，尤其到了後來，錦衣衛的校尉也管糾儀，要求更是嚴苛無比。

文武官員等候早朝之處是露天的，夏日酷熱，冬日苦寒，毫無遮掩躲避之處，一天捱到中午，腳也痠了，肚子也餓了，望眼欲穿，武宗還是沒有來。

不久，人們發現，若是錢寧出現，表示皇帝馬上駕到。原來，武宗對這個乾兒子寵愛異常，在豹房裏喝得酩酊大醉，往往就枕在錢寧身上睡著了。錢寧的做法，在中國古代是大不敬的犯上，可以殺頭的。不過，既然是出自明武宗的意思，誰也不敢多吭一句。

果然，官員只要遠遠見到了錢寧，揉著眼睛，打著呵欠，拖著疲乏的步子，懶洋洋的走過來，沒過多久，皇帝就出現了。武宗的精力在豹房中早已用盡，因此，他出現在早朝（不，應該稱之爲晚朝）時，永遠是垂著眼皮、無精打采，滿臉不耐煩的疲累模樣。

百官朝見排列，原是有一定順序的。並且有序牌，寫上品級，列在木柵上，文官在東，武官在西，公侯在前，次爲駙馬，再次爲伯，接下來是一品、二品的大小官員。由於大家全累得人仰馬翻，因此，百官匆匆奏事，武宗虛應故事，然後，皇帝回宮，百官依次退朝。

有的時候，文武百官聚集以後，鴻臚寺官宣布，今日取消早朝，這是大半官員們最開心之事，省得一天呆立，活活受罪。

明武宗不但早朝遲到，就是元旦大典，他一樣也不放在心上。

正德十一年春天正月元旦，文武百官、四夷八蠻一大早就等著入賀，慶祝一年的開始。明武宗前一晚喝多了酒，根本爬不起來，也沒人敢催他，一直到了晚上，他才睡眼惺忪，揉著眼睛趕來參加元旦大典。

這一天，飄著大雪，大夥在風雪裏熬了一整天，一肚子的餓，一肚子的火，一肚子的氣，好不容易禮成，眾人急著回家，前仆後擠，互相踐踏，完全顧不得禮儀。將軍趙朝看不過去，高聲嚷道：『別搶別擠。』不知是誰推了趙朝一把，趙朝倒在地上，眾人未覺察，急急忙忙走過去，竟然把一個將軍給踩成了肉餅。

這時，有人發現地上死了人，場面更加混亂，有人掉了簪笏，有人扯壞了冠裳，家裏頭急著來接人的，擁擠在午門外面，子呼其父，僕叫其主，又吵又亂，彷彿到了菜市場，更像是在逃難，亂成了一團，哪兒還像是國家慶典。

無論明武宗是取消早朝，或者姍姍來遲，總讓一些忠心爲國的臣子們痛心萬分，他們不知道該怎麼辦，只覺得失望，只覺得無奈，卻又一點兒也使不上力量。

吏部尚書楊一清曾經說過：『臣等旦旦入朝，目不睹天顏，耳不聞天語，彷彿嬰兒遠離了父母，悵悵無所依靠。』

朝臣把皇帝當成天，當成父母，希望得到庇護。任性的武宗根本不理這一套，愉快的在豹房之中，接受宦官、俳優、喇嘛、異域術士的包圍，他歡喜看豹子、看美女，而不喜歡看這些官員。至於那些國計民生的事，對這個十幾歲的小皇帝來說，根本是很遙遠的事。

閱讀心得

【第896篇】

文武百官集體罰跪。

明武宗昏庸，宦官劉瑾當權。劉瑾爲人貪暴，又充滿了自卑感，他曉得文武百官不會對他心服，因此，想盡辦法，羞辱官員，建立恐怖威勢，例如，命令朝臣當眾罰跪就是其中一招。

正德二年，當劉健、謝遷二人告老還鄉，戴銑、王守仁等人抗言之後，劉瑾就認爲這些士大夫太麻煩。於是，他下了一道假命令，將韓文、楊守隨、王守仁……等五十三人列爲奸黨，把他們的名單貼在朝堂之上，並且命令這五十三個人一齊在金水橋南邊下跪，聽候宣讀諭旨。

五十三位忠貞愛國之士，居然被列爲奸黨。這種朝廷實在已無任何正義是非可言。於是，其他『較爲正直的朝臣』散的散、走的走，劉瑾樂得把遺留下來的空缺，一個一個塡補了臭味相投的自己人。

不料，一年之後，正德三年六月二十六日，午朝剛罷，宮中御道之中，竟然不曉得是誰留下一封匿名信，信中一條一條列數劉瑾的罪狀。其用意也許是希望明武宗路過之時，偶然發現，拾起來看，趁機了解劉瑾的眞面目。可惜，武宗一向討厭上朝，朝散之後，急著想趕回去玩兒，根本沒注意道上還有一封信。

這封匿名信落到劉瑾手中，他一面看，臉色也由青轉白，他怒氣沖天道：『不論是誰做的事，必須要受到教訓。』

於是，劉瑾大發神威，他假造了皇帝的命令，要求文武百官集體跪在奉天門下面，大家都心驚肉跳，不曉得又發生了甚麼事。

一會兒，劉瑾出現在奉天門左邊，手裏拿著匿名信，聲色俱厲，把百官像兒子一般，狠狠罵了一頓，當然，他還是頂著武宗的招牌，氣洶洶的說：『萬歲爺對這件事十分生氣，他說一定要查個一清二楚！』

御史寧杲素來膽小，他怯怯的表示：『我等素知法度，豈敢如此，這或者是新進士所爲。』

劉瑾立刻搶白：『這與新進士有甚麼關係？你們敗壞朝廷事，不能不整治，沒聽過太祖留下來的祖宗大法嗎？』

明太祖是反對太監玩法弄權，若明太祖健在，絕不容許劉瑾張狂，但是，這話大家只能悶在肚子裡，劉瑾要顛倒黑白，誰也不敢張口辯白。

六月下旬的北京城，天氣酷熱，文武百官個個身著厚重官服，跪在地上，大氣也不敢喘，甚且，連姿勢都不敢變換。頭上頂著驕陽，汗水溼透了衣服，全身痠麻，膝蓋抽痛，一個時辰過去了，又一個時辰過去了，劉瑾站累了，一個人去休息了，文武官員卻密密麻麻、毫無遮掩的跪在光天化日之下。

太監李榮看不過去。他悄悄切了幾盤冰鎮西瓜，趁著劉瑾休息，把西瓜搬來，讓大家消消暑，解解渴。許多臣子，尤其是文弱的文臣，虛軟的都快站不起來。

一位老臣顫巍巍的站起身，接過西瓜，咬了一口，覺得甜美無比，含在嘴裏彷佛品嘗好酒，竟捨不得下嚥，這輩子從來沒發現西瓜是如此鮮美。瓜肉吃完了，捨不得丟，用西瓜皮擦擦臉，實在是熱慘了，累壞了，還不曉得何時才能回到家，痛痛快快沖個涼澡，搖搖扇子，睡個好覺。

奉天門下，有人伸懶腰，有人用手按摩發痠的小腿，有人不斷的在擦汗，個個都快撐不住了。這時，李榮著急通報：『劉公公來了，趕快跪下。』

可是，已經來不及了，劉瑾看到了有人吃瓜，有人閉目養神，他用太監尖細的嗓子高喊：『是誰讓你們站起來的？』一轉身，劉瑾指著李榮破口大罵：『你好大的膽子。』

權力會讓人瘋狂，此時此刻的劉瑾眞是半瘋了，虐待人也不是這般虐待法，可憐那文武百官嚇得趴在地上，頭也不敢抬，哪兒還是威風凜凜的執法者，反而成爲窩窩囊囊的可憐蟲。

太監黃偉不曉得哪兒借來的膽子，突然之間，跳了出來，大聲的說：『匿名書中所寫的，其實全是爲國爲民的好事，是誰寫的，爲何不挺身站出來，男子漢大丈夫，何必拖累大家？』

劉瑾更火了，他嘿嘿冷笑道：『沒錯，寫匿名書罪已當死，何況還擺在御道旁，不知是怎樣的偉男子？』當下，劉瑾便把黃偉放逐南京，李榮則回家賦閒。

文武百官，罰跪一天，好不容易捱到日落西山，心想，終於可以回家了吧，不料，劉瑾宣布：『五品以下官員，全部關入錦衣衛。』於是，三百多人垂頭喪氣入了牢房。

第二天，大學士李東陽忍不住對劉瑾說：『匿名文字出自一人之陰謀，諸臣在朝，倉卒拜起，豈能知之，何況今日天氣炎熱，監獄通風不良，數日之間，人命不保也。』

此時，劉瑾也查出，這匿名信是出自宦官之手，因此，氣也消了，三百多名倒楣的官員也放了出來。不過，經過這一番折騰，刑部主事何釴、順天推官周臣、禮部進士陸伸已經不支而死，如此重大的冤獄，卻沒人敢置一詞。

閱讀心得

【第897篇】

鸜鵒相天子。

劉瑾罰跪文武百官一事，很快就傳遍了全國。劉瑾之所以如此張狂驕橫，原因只有一個，那就是明武宗的縱容。因此，有人想以此爲名，奪取大明朝的江山，那人便是安化王朱寘鐇。

朱寘鐇是明太祖第十六個兒子慶王的曾孫，封地在寧夏。安化王才識平平，卻自命不凡。有兩個窮秀才孫景文與孟彬，二人密謀，想要拱安化王出來造反，效法明成祖的先例，假如事情成功，他二人自是朝廷重臣。

孫景文與孟彬找到一位口若懸河的相士王九兒，安排了一個機會見到安化王。王九兒一見到安化王，彷彿觸了電一般，雙膝垂直落地，喃喃的道：『龍騰虎躍，大吉大利，帝王之相，貴不可言。』

安化王心裡很高興，表面上卻說：『相命的還不是隨口說說。』

王九兒接口：『小的絕不敢以半仙鐵嘴自命，不過，小的養了一隻鸚鵡，堪稱神鳥，能言禍福，靈驗無比。』

『喔，這我倒希望有機會見識見識。』安化王非常好奇。

第二天，王九兒就把鸚鵡帶來了。

這隻鸚鵡的確與眾不同，除了紅、黃、綠、白摻雜的毛特別鮮艷奪目之外，一雙眼睛炯炯有神，牠靈活的轉動小腦袋，似乎在到處搜尋，當安

化王出現之時，鸚鵡突然興奮起來，大聲的叫：『天子、天子。』

這一聲『天子』，把安化王叫得又驚又喜又害怕，不過，他也有點疑心，會不會是王九兒串通好的，這鸚鵡哪兒能看出誰有帝王之相。

王九兒也猜中安化王的心思，他輕聲說：『王爺何妨避入布幔後面，看看鸚鵡準不準。』

於是，安化王隱入布幔之後。奇怪的是，王府中上上下下、男男女女出出入入，鸚鵡瞄了一眼，卻不再發聲。

安化王慢慢自布幔之中走出，鸚鵡一見到安化王，又開始嘓嘓的『天子、天子』叫個不停。

王九兒這一著戲法是怎麼變的，史書中沒有記載，不過，當天晚上安化王可睡不著了，他翻來覆去想著，原來我就是眞命天子，此乃上天安排的命運，躲也躲不掉。安化王彷彿已經看到自己以皇帝身分出巡，前後簇擁著龐大的侍衛儀仗隊伍，氣勢顯赫，行人躲避唯恐不及的誘人畫面，於是安化王心裡不再安定，他準備逮著機會奪取天下。

過了沒有多久，果然，機會來到了。劉瑾派遣大理寺少卿周東到寧夏去度量田畝，催徵屯田的租稅。周東這一丈量土地，原本戍卒只有一分地的，必然給丈量成爲兩分。周東的用意是虛增屯田的數目，以便加收稅金，可以送給劉瑾一個『大紅包』，可是，這樣一來，戍卒平空多出許多負擔，自然怨聲載道。

寧夏巡撫安惟崇，平日便十分殘忍暴虐，爲了討好劉瑾派來的使者，竟然想出一個怪方法，把將士們的妻子抓起來打屁股。這些官太太們平日耀武揚威、架子十足，幾時受過如此侮辱，回到家之後，自然哭哭啼啼吵鬧不休，將士們也氣憤填膺，認爲劉瑾太不是東西，完全沒把他們放在眼裡。

趁著衆人正在氣頭之上，孫景文出面邀集重要軍官，並且宣布：『安化王準備起事，大幹一場，爲各位報仇。』孫景文的火，一點就著，衆人一起立誓：『非除掉害民的劉瑾不可。』孫景文拿出了老早準備好的檄文，轟轟烈烈展開行動。

所謂檄文，這是古代用於罪責、討伐、曉諭、徵召等的文書，在發生軍事行動之時，藉以進行宣傳，宣揚自己的盛德，聲討對方的罪惡，從天時、地利、人和各個方面，號召敵人投降或是動員其他方面接受命令。

孫景文這篇檄文，寫得洋洋灑灑、內容豐富，因爲劉瑾的罪狀太多，因此檄文顯得相當具體，最後，他號召大家：『凡我同心，並宜響應。』

由於巡撫安惟崇一向殘暴，而且才打了將士們妻子的屁股，邊將們痛恨已極，因此，亂事一起，劉瑾派來的周東與安惟崇立刻被殺，接著，火燒衙門，釋放獄囚，關中大震，這是正德五年四月裡的事。

這道檄文輾轉到了京師，劉瑾打開一看，檄文中列舉的條條罪狀，一樣一樣他心裡都有數。不過，劉瑾可沒有把此事放在心上，在他看來，遠在天邊，一個芝麻大的安化王能成甚麼氣候？至於皇帝那邊，不報告他也就沒事，這些煩人的事，反正明武宗也沒有興趣知道。

閱讀心得

【第898篇】

張永監軍西討。

由於劉瑾的用事，激起了安化王朱寘鐇之變，由孫景文作檄文，歷數劉瑾的罪狀，將舉義兵清除君側。

劉瑾看到檄文，從鼻孔裡哼了一聲，壓根兒不把這件事放在眼裡，劉瑾心想，反正一心愛玩的皇帝根本不會知道。

但是，明武宗馬上就知道了。平常人沒這個膽子惹惱劉瑾，報告皇帝的不是別人，而是張永。張永與劉瑾一般，是個太監，也是當初號稱『八虎』之一。

正德初年，張永總管神機營，與劉瑾同爲一黨。張永這個太監，雖然也陪著武宗吃喝玩樂，倒依然天良未泯，他逐漸看不慣劉瑾的所作所爲，也在平日的言談之中，透露了對劉瑾的不滿意。

劉瑾當然也察覺到張永微妙的心理。於是，他編了一套說詞報告明武宗，準備把張永罷黜到南京，離開天子腳下。張永氣得跳腳，衝到武宗跟前喊冤。

武宗對於當初陪他玩的八虎，個個都有感情，他見到張永眼眶發紅，氣得不斷發抖，同情之心油然而生。武宗把劉瑾叫了來，讓他與張永當面對質。

劉瑾十分鎮靜，他用十分遺憾的口吻對張永說：『張永，不是我說你，你豈可強令寡婦再嫁，又把百姓的棺材給燒了，鬧得人心不安。』

『甚麼，你說甚麼？』張永幾乎懷疑自己的耳朵是不是聽錯了，這些壞事全是劉瑾做的，也是他最不敢苟同之處，不料，劉瑾竟然栽到他頭上來。劉瑾數說了張永的罪狀之後，並且轉身對武宗說：『張永的做法，實有傷聖上之明。』

張永演戲演不過劉瑾，口才也沒有劉瑾便給，平白受侮，氣得他掄起拳頭就往劉瑾身上揮過去。劉瑾閃得快，這一拳沒打著，張永整個人撲向劉瑾，被谷大用給拉開了，谷大用也是八虎之一的太監。

明武宗搞不清楚誰是誰非，他也沒有興趣釐清眞相，於是武宗笑嘻嘻說：『別吵，別吵，大家都是好兄弟，谷大用，朕命令你擺一桌酒，勸勸他們兩個。』

於是，谷大用拉著劉瑾、張永一塊喝酒去。既然是皇帝勸架，劉瑾、張永不得不互相舉杯，酒是一飲而盡，雙方的眼神卻噴出憤怒的火焰，恨不得把對方給活活吃下去。從此二人之間芥蒂更深。既然皇帝充當和事老，表示他並未偏向任何一邊，這件事，讓劉瑾心裡相當不痛快。

安化王之亂，劉瑾想隻手遮天給壓過去，張永逮住機會，向皇帝報告，明武宗當下決定：『那麼，就以楊一清掛帥，你來監軍吧。』

太監監軍始於唐朝，在皇帝心理上，宦官較朝臣更爲親近。因此，在皇帝個人的感覺上，委派宦官監軍比派御史監軍更爲可靠。到了明朝，監

軍的宦官，根本就成爲了主帥。

張永起程之時，明武宗特地換上了戎裝，親自到東華門去爲張永送行，並且賜給關防、金瓜、銅斧，這些都是皇室鹵簿中才有的儀仗。所謂鹵簿，這是古代帝王、后妃、太子、王公、大臣外出時在其前後的導護隊。

劉瑾看在眼裡，心中之不悅可想而知，卻也只能悶在心裡。張永瞅了劉瑾一眼，有說不出的得意，似乎在說，怎麼樣，皇帝到底念舊，皇帝也不是你一個人的。

張永浩浩蕩蕩率軍出發，此時，楊一清已先趕到寧夏，卻發現安化王朱寘鐇不堪一擊，已經被楊一清的舊部屬仇鉞所平定。安化王的亂事，只有十八天便結束了。因此，當張永大軍趕到之時，已經英雄無用武之地。不過，這樣對張永來說，不費一兵一卒，卻能凱旋班師回朝，臉上很夠面子，不由得心花怒放。

由於大敵已去，楊一清與張永一見面就擺慶功宴，彼此聊得很開心。楊一清這個人長得極醜，臉上全是小坑小洞，眼睛細小得看不見，鼻子也是歪在一邊，張永久聞其醜，初見面，張永倒抽一口氣，心想：『果然名不虛傳。』

另外一方面，與楊一清的醜怪同樣聞名的，該是楊一清不凡的才氣，楊一清少有神童美譽，成化初年被保薦到京裡，明憲宗讓這飽學之士在翰林院教他讀書，成化八年中了進士。

楊一清容貌醜陋，但是，肚子裡的確大有學問，對邊疆馬政頗有一套，建立了極大的功勞。楊一清心高氣傲，自然不肯依附劉瑾，劉瑾派他一個侵吞公款的莫須有罪名，逮捕至錦衣衛，幸賴李東陽援救，得以不死，但是革了職，罰米六百石。

張永與楊一清半個月相處下來，發現楊一清實在是不簡單，聽楊一清談經濟大略，邊疆軍防，都有獨特的看法，尤其那一分感時憂國的情懷，讓張永爲之折服。張永覺得新鮮，覺得自己彷彿在成長，這分奇妙的感受，使得他對楊一清產生了崇拜。

閱讀心得

【第899篇】

楊一清的錦囊妙計。

由於劉瑾的胡作非爲，正德五年，安化王朱寘鐇起事。明武宗派遣八虎之一的張永監軍，前總制三邊都御史楊一清總制軍務，他二人尚未到達，亂事已被楊一清舊日部屬所平定，但是，張永與楊一清在半個多月的相處之中，成爲談得相當投契的好朋友。

有一天晚上，他二人促膝密談，談到此次平亂的順利，互舉一盃，一飲而盡，相視而笑。

楊一清突然長歎一聲：『唉！』放下了酒盃，左手握住右手的手腕道：『藩宗之亂賴張公公的力量容易平定，然而又該如何消除國家的內亂？』

一聽此話，張永心中一跳，楊一清莫不是在罵劉瑾。因此，他小心翼翼的問：『楊大人指的是？』

楊一清見四下無人，拉住張永的手，在他的手掌心寫了一個『瑾』字。

張永面有難色道：『此人日夜跟在皇帝身邊，羽翼已成，枝幹已壯，耳目甚廣，如何能夠動得了他？』

『不然。』楊一清慷慨激昂道：『皇上同樣非常相信你，不然的話，

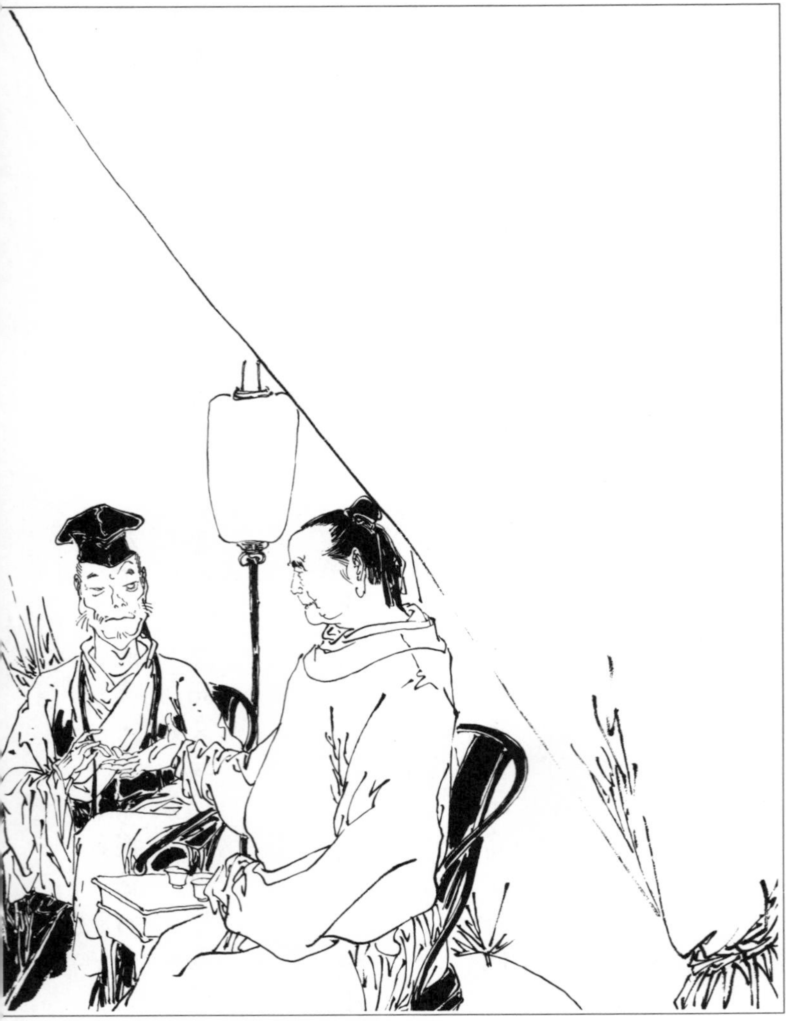

爲甚麼把討賊重任交付給你？』

這話讓張永聽得十分舒服，微微的點了點頭。

楊一清繼續說：『如今公公功成奏捷，凱旋回京，找個機會，揭發劉瑾的陰謀，稟明皇帝，海內愁怨，寘鐇雖平，大亂在後。如此一來，皇上英武，必然震怒，殺掉劉瑾。劉瑾一死，換由張公公當政，這是名垂千世的偉業。』

張永覺得有些心動，想一想，又覺得不妥，他遲疑道：『假如萬歲爺聽不進去，那又該怎麼辦？』

楊一清緩緩的說道：『按理說來，公公的話，萬歲爺應當聽得進去，若是不聽，那麼，公公立刻跪在地上，痛哭流涕，表示與其死於劉瑾之手，不如死在皇上面前。只要皇帝一答應，立刻採取行動，否則事機一洩，大難臨頭。』

張永霍的站了起來：『好，就這麼辦，老奴何必愛惜剩下的餘年，還不如盡節報主。』決定進行不成功便成仁的冒險計畫。

如此夏去秋來，寧夏變亂以後的事全妥當了，楊一清奉旨，仍爲三邊總制，張永班師回朝。這一次亂事全是因劉瑾而起，劉瑾卻趁此機會邀功，把功勞全攬在自己身上，不但自己加了祿米，並且把他的哥哥劉景祥升爲都督。

誰知道劉瑾的哥哥命薄，剛剛升了官，沒過二天，忽然暴卒。定在八月十六日下葬。

不知是否巧合，張永浩浩蕩蕩，率領大軍，押解俘虜，班師回京，駐紮在京城門外，上奏請求入覲皇上，定的日子也是八月十六日。

張永不免心中嘀咕，劉瑾究竟葫蘆裡在賣甚麼藥？莫不是想趁著文武百官前往送葬，城內空虛，下手暗算。於是，張永決定先下手爲強。

由於張永是武宗寵信的太監，他仗了這層便宜，出其不意在八月十五日進了城，一直闖入了豹房，謁見皇帝。

武宗見了張永立功回來，十分開心，當天晚上在東華門爲張永設宴接風，並且找了劉瑾、谷大用作陪。

劉瑾對張永這一著十分反感，當著面雖然舉盃相賀，放下盃子，卻不覺臉露殺機。沒多久，劉瑾便起身告退，理由是：『明早要忙喪事。』

等到張永估計劉瑾應該早回到家裡了。此時，張永拿出早就寫好的奏疏交給武宗，並且詳細說明，安化王之亂乃由劉瑾激起，劉瑾並且私造兵器，圖謀不軌……在座其他人也附和張永。

明武宗卻聽不進去，一來劉瑾是他身邊的人，他自然要護著，二來，他睏了，想回豹房去睡覺，因此，武宗敷衍道：『別談這些掃興的事，還是喝喝酒。』

張永此時想起楊一清的錦囊妙計，一個箭步，跪在皇帝腳前：『去此一步，老奴再也見不著萬歲爺了。』

『爲甚麼？』明武宗不解。

『因爲劉瑾已頒布宵禁，老奴一出宮，準會被殺。』

『喔，這樣嗎？』武宗問：『劉瑾究竟想幹甚麼呢？』

『他想奪取天下。』

『取天下？』胡塗皇帝居然回答：『那天下就讓他去取嘛！』

張永可是呆住了，過了半天才問武宗：『那樣，又置萬歲爺於何地？』

『這？』武宗這才酒醒，氣呼呼道：『假如劉瑾是想造反，朕可是饒不過他。』

張永又想起了楊一清的錦囊妙計，當下深夜採取行動。

閱讀心得

【第900篇】

張永活捉劉瑾。

太監張永接受楊一清的建議，趁著凱旋回京，武宗賜宴，從懷中掏出奏疏，條陳劉瑾的罪狀，並且說明劉瑾準備奪取天下。武宗批准了奏章，張永奉旨，立刻調動禁兵，直入劉瑾私邸。

這天夜裡，劉瑾早早入睡，因爲，第二天，他要忙兄長劉景祥的喪事，忽然聽到人聲雜沓，不曉得出了甚麼事，心知不妙，突然之間，臥房的門敲個不停。

劉瑾披衣坐起，打開房門，一見是禁兵，放下臉來問：『你們要做甚麼？』

『不敢，萬歲爺請公公見駕。』

萬歲爺現在準在豹房裡享樂，怎會臨時派了禁兵來請，其中必有蹊蹺。劉瑾一面暗中盤算，一面好整以暇披上他的青蟒衣，束手就縛，當天晚上，劉瑾關入東華門的内獄之中。

劉瑾心中雖嘀咕，卻有相當的把握，他認爲自己絕不會完全被扳倒，一來是武宗的信賴，二來他在朝廷内外勢可薰天，哪有說垮就垮的，所以，他依然睡了個好覺。

第二天，皇帝親自降臨劉瑾私邸，監視抄家行動。他對劉瑾的處分，

只有八個大字，那就是：『謫瑾奉御，鳳陽閒住。』

對劉瑾而言，這是相當相當寬大的處分。所謂『奉御』，這是宦官中的五品閒職，不但小命保住，並且工作清閒，也不需要去打掃廁所。

劉瑾伸伸懶腰道：『我也累了，早日退休養老也不壞啊。』再說，劉瑾財產太多，家中放不下，他到處東擺一點，西擺一點，他可不愁一輩子富富裕裕。

大學士李東陽是個敏銳機警的人，他十分擔心道：『萬一有一天，皇帝又起用劉瑾，那該怎麼辦？』

張永笑笑：『應該不會有這種荒唐事吧，光光抄他家，足足抄了二十多天還沒抄完。』

李東陽緩緩道：『萬歲爺不在乎這些的。我是擔心放虎歸山，遲早老虎會下山。』

果然，過了沒兩天，劉瑾上了一道白帖給皇帝，說是被捕之時『赤身無衣，乞賜一兩件蔽體之衣。』劉瑾被捕時，明明穿的是青蟒衣，對他也相當禮遇，但是，他要這麼爭取同情。

明武宗也就眞的十分同情劉瑾，批了一個：『送給故衣百件。』這一送便是百件，可見得明武宗心中還是歡喜劉瑾。張永心慌了，又再去找李東陽商量。

李東陽毅然決然道：『六科十三道，哪一個不恨劉瑾入骨？』

於是，李東陽一發動，六科給事中、十三道監察御史人神共憤，紛紛上奏章彈劾，細數劉瑾三十多條罪狀，明武宗只好降旨將劉瑾交付廷訊。

一直到這個關頭，劉瑾依然自信滿滿，他昂著頭，挺著胸，鼻孔沖天進入了午門，用不屑的眼光掃了六部尚書及一班朝臣，高聲說道：『滿朝公卿，皆出自我門下，我倒要看看，甚麼人敢來審問我？』

劉瑾這一吼，倒讓平日怕他的官員呆住了，過了半天，駙馬都尉蔡震站了出來，蔡震娶了明英宗的三女淳安公主，算起輩分來，他應當是當今萬歲爺的姑丈。

蔡震走到劉瑾前面，責問劉瑾：『我是國戚，莫非也出自你的門下？』

劉瑾翻了一個白眼，輕蔑的對蔡震笑笑。蔡震早就看不慣劉瑾的狂妄自大，等這一天，已經等了很久很久了。

蔡震吩咐使者：『給我重重的掌嘴。』

使者向前，噼哩啪啦好好的賞了劉瑾幾個嘴，直打得劉瑾嘴角滲出鮮血，看得許多官員內心叫好。

賞完了嘴，蔡震又問：『公卿是朝廷所用，怎可說出自你門下，單憑這句話，足夠定你死罪。』

劉瑾不答話，頻頻冷笑。

蔡震又問：『我再問你，你爲何養了衛士，又私下製造兵器，到底你是何用意？』

劉瑾一挑眉毛：『欸，這你就不知道了，因爲萬歲爺偶爾來我私邸，為了保護皇上，不得不預作準備。』

劉瑾能言善道，狡猾刁鑽，他相信他只是碰到小劫難，蔡震這些傢伙，將來都會遭大殃的。

閱讀心得

【第901篇】

長柄團扇的秘密。

太監劉瑾被捕之後，張永與李東陽密議，發動六科十三道彈劾劉瑾，數其大罪共三十條。

張永赴豹房向明武宗報告：『劉瑾抄家，計得金二十四萬錠又五萬七千八百兩，元寶五百萬錠。』

明武宗頭也不抬，繼續用鋼叉挑牛肉餵豹，只淡淡應了一聲：『噢。』

『另外還有珍珠無數，還有袞袍、玉印、盔甲三千……』

『噢，朕知道了。』

明武宗依然不動聲色。

張永發急了，不斷叨叨絮絮列數劉瑾有多麼跋扈囂張，明武宗只回了一句：『不會啊，依朕看來，劉瑾在朕面前挺恭謹的。』

明武宗自小被溺愛，從來沒有學會關心任何人，包括他的父母，他都沒想過應當多體念。所以甚麼蒼生啊，百姓啊，全都不在他的考慮之列。劉瑾在他面前，向來是諂媚的奴才模樣，因此，武宗也毫不在乎劉瑾的其他作為。

後來，抄家抄出一件奇妙的東西，明武宗這才改變看法。

張永稟報武宗：『劉瑾確有造反之意，否則家中何必藏有大批武器，又是弓弩又是盔甲。』

『他是太監，造反幹甚麼，又不能當皇帝。』武宗聳聳肩，不在乎的說。

『萬歲爺請看，這是甚麼？』張永從身後拿出兩把團扇。

武宗瞅了一眼：『這是朕冬天用的扇翣啊。』所謂扇翣是皇帝用的長柄團扇，交叉放在皇帝身後，用五彩雞毛織成，一方面顯示皇威，一方面遮蔽塵土之用。

張永把兩把團扇一張開，指著貂皮後面對武宗說：『萬歲爺請過目。』

武宗一看，嚇得腳心發冷，原來貂皮後面竟是兩把鋒利的鋼刀，若是這麼輕輕一劃，他的脖子就斷了。

武宗大驚失色：『這小子果然想造反，太可惡了。』於是，審訊也不必了，武宗下了一道手諭：『毋覆奏，凌遲之。』

劉瑾何必造反呢？事情是這樣的：

有一天，劉瑾突然心懷感傷，這些年來實在是壞事做盡，樹敵太多，他眞是擔心，如果有一天地位不保，下場會很慘，因此，他對張綵訴苦：『想當年，皇上初即位，我們八人號稱八虎都被重用。張永、谷大用沒膽子，公推我出來當頭，爲天下人犧牲，現在，他們幾個倒好了，安安穩穩坐享富貴，我可是倒楣，天下怨氣全集中在我一個人，若是出了事，我一個人扛，太不公平了。』說著，劉瑾竟然哭了起來。

張綵便獻上一計：『如今皇上沒有兒子，公公不妨在皇家宗室之中挑選一個幼童，養在宮中，將來長大，接了皇位，公公自然長保富貴。』

劉瑾點點頭：『這個主意不錯。』

不料，二天之後，劉瑾有了新的想法，原來劉瑾遇到一個算命的半仙，劉瑾相信得不得了，這個半仙名叫俞日明，俞日明替劉瑾看了相，算了八字，然後，恭恭謹謹跪了下去：『公公之相，貴不可言，公公乃漢高祖之後，貴不可言。』

『噢！』劉瑾心中大樂，腦海之中念頭一轉：『那還不如朱家天下換我劉家天下。』

劉瑾把這個想法告訴了張綵，張綵連連搖手：『這不可以。』

『有甚麼不可以？』劉瑾拿了茶盤就往張綵的腦袋擲了過去。張綵不敢再多開口，劉瑾就積極打造兵器，開始作造反的準備。

正德五年八月二十五日，劉瑾以謀反被誅。到了行刑那天，宣武門前西市擠得水洩不通，許多人捧著一隻碗，搶著與劊子手打交道，希望買一塊劉瑾的肉。

劊子手問道：『你們要肉幹甚麼？』

『吃啊，劉瑾把我們害得太慘，我恨不得剝他的皮、吃他的肉。』

劉瑾被判的刑是凌遲。劊子手的助手把劉瑾的頭髮繫在木樁的鐵環之上，然後，抖開一張魚網，這麼朝頭一撒，抽緊繩子一勒，劉瑾光著上身的肉，就一塊一塊自魚網中凸了出來。

午砲一響，監斬官傳令：『開刀！』劊子手就開始一片一片剮劉瑾的肉，彷彿削魚鱗片一般。明朝規定，一共要割三千三百五十七刀，每一刀如指甲片般大小，自左胸膛割起，每割十刀休息一回，吆喝一聲。

頭一天，割了三百五十七刀，割完後送到宛平縣監獄之中。劉瑾是個大兇大惡的人，爲了表示豪氣，回到監獄，還喝了兩碗熱粥，口中罵個不停。次日續割，到了第三天才完刑，然後剉屍。過程殘忍恐怖，古時中國酷刑之慘烈是後世人很難想像的。

劉瑾被殺了，許多民眾的怨氣也散了，甚且有人說：『皇帝畢竟是英明的。』古代中國人永遠很輕易的原諒了昏君。

閱讀心得

【第902篇】雙姣奇緣。

太監劉瑾以謀反罪被處死，人心大快，劉瑾是大奸大惡之人，落得凌遲的下場，眞是惡貫滿盈。

在國劇『法門寺』（又名『雙姣奇緣』）之中，劉瑾卻是另外一副面貌，竟然平反了一個冤獄，故事是這樣的：

明武宗正德年間，郿鄔縣有一個書生名叫傅朋，傅朋生性風流，有一天，傅朋外出閒逛，路過孫家莊孫寡婦家門口，適巧孫寡婦的女兒孫玉姣在門口繡花，傅朋迷戀玉姣的美色，便上前搭訕：『請問，這是孫媽媽家？』

『正是，家母不在家中。』玉姣低聲回答。

『既稱家母，想必就是孫姑娘了？』傅朋再作一揖。

『請問尊姓大名？』

『在下姓傅名朋，住在郿鄔縣內。』

『公子來到寒舍，所爲何事？』

『想向孫媽媽買雄雞。』

『昨天已經賣完了。』

『既然賣完，我再到別家去買。』傅朋含情微笑，從懷裡掏出一只玉

鐲：『我有玉鐲一只，奉送大姐。』

『奴家不要。』玉姣害羞的溜進門去，把門給閤上。

傅朋悄悄的把玉鐲放在門口，便離開了。不久，玉姣開了門，發現玉鐲留在地上，大吃一驚，知道那是傅朋留給自己的定情物，礙於當時的禮教，不敢收下，但是腦海裡忽然浮現剛才那位少年英俊瀟灑的模樣，不禁芳心大動，於是彎下腰來，拾起玉鐲。

忽然之間，一聲高亢的尖音：『好呀，你這丫頭，拿了這麼漂亮的玉鐲。』嚇得玉姣幾乎將玉鐲摔掉。

『是，劉媽媽，這是我撿到的。』玉姣慌亂的對隔壁的劉媒婆加以解釋。

『得了吧，我都看見了，那人叫傅朋，玉姣，你把玉鐲交給我，我明天去他家，要他來提親。』劉媒婆說。

『是。』玉姣羞得滿臉通紅，趕快把玉鐲交給劉媒婆。『請劉媽媽幫忙。』

劉媒婆的兒子劉彪是個小流氓，專做詐騙害人的事，當天晚上，劉彪看到玉鐲，好奇的問母親是誰給的，劉媒婆便把傅朋和孫玉姣的事告訴了劉彪。

第二天，劉彪在街上找到了傅朋，指摘傅朋調戲良家婦女，要敲詐傅朋。於是，劉彪和傅朋在街上便打了起來。這時，當地的地保（類似今天的里長）劉公道跑出來勸解，劉彪這才怒氣沖沖的走了。

晚上，劉彪手提鋼刀到了孫家莊，看到一户人家，大門虛掩，便悄悄推門而入，聽到內房中有一男一女的鼾聲，手起刀落，砍下二個人頭，取出一條布巾，將人頭包起，一溜煙的跑了出去。

『今天劉公道這個傢伙破壞我的好事，我就嫁禍於他。』劉彪想著，便跑到劉公道家，在圍牆外，一手便把人頭拋進了劉公道的院子裡。

第二天清晨，劉公道發現院子裡有二個人頭，嚇慌了手腳，他不願報告衙門，免得吃上官司。於是，撿起人頭，拋到院內角落旁邊的一個枯井之中。正巧這時家中一個不到十歲的小傭人宋興兒在一旁看見，劉公道恐怕宋興兒洩露祕密，便拿起了鐵棒，朝宋興兒腦袋砸下，宋興兒立刻一命嗚呼，劉公道把宋興兒的屍體一起丟入井中。

孫家莊的雙人命案由郿鄔縣知縣趙廉審理，趙廉認爲傅朋無緣無故到孫家莊閒逛，必有所圖謀，判定傅朋就是殺人兇手，關入監獄。

傅朋的未婚妻宋巧姣是一個有智慧的女子，她暗中打聽，知道傅朋是冤枉的，劉彪才是眞兇。正巧皇太后到法門寺上香，劉瑾隨侍在旁，宋巧姣便到法門寺去喊冤，驚動了太后，太后看到宋巧姣一副楚楚可憐的樣子，決心過問這件命案，於是要劉瑾召趙廉前來問話。

趙廉來到法門寺，跪在佛殿下，劉瑾用嚴厲的語調說：『郿鄔知縣，孫家莊一刀連傷二命，一無兇器，二無見證，你就把傅朋逮捕下獄，你的眼裡還有皇上嗎？』說著，劉瑾把宋巧姣的狀子交給了趙廉，限定趙廉三天內把案子重新審理，再來報告。

趙廉回到衙門，傳來劉公道、劉媒婆與劉彪，一一予以查問，劉彪終於供出實情。於是，趙廉帶領衙役到劉公道院中的枯井打撈，不但撈起了人頭，也撈上了宋興兒的屍體。

趙廉帶了一干人犯，向劉瑾覆命，劉瑾親自審問，判了劉彪和劉公道死罪，並以太后旨意，將孫玉姣和宋巧姣一同許配給傅朋爲妻。

『趙廉，你錯判兇案，罰銀二千兩，你可願意？』劉瑾在結案之前，詭譎的對趙廉說。

『臣願意。』趙廉趕快下跪。

『趙廉，你這樁事賠了本，這樣吧，青州府有缺，你去任青州知府，撈一撈本錢吧。』

這一齣『法門寺』的故事是編造的，劇中的劉瑾似乎是平反冤獄的『青天』大人，不過，結局是胡塗知縣趙廉不但未受到責罰，反而升了官，爲甚麼反而升了官？如果不是劉瑾黑白不分，就是劉瑾把趙廉的二千兩銀子入了私囊之中。

閱讀心得

歷代•西元對照表

朝　　代	起迄時間
五帝	西元前2698年～西元前2184年
夏	西元前2183年～西元前1752年
商	西元前1751年～西元前1123年
西周	西元前1122年～西元前 771年
春秋戰國(東周)	西元前 770年～西元前 222年
秦	西元前 221年～西元前 207年
西漢	西元前 206年～西元 8年
新	西元 9年～西元 24年
東漢	西元 25年～西元 219年
魏(三國)	西元 220年～西元 264元
晉	西元 265年～西元 419年
南北朝	西元 420年～西元 588年
隋	西元 589年～西元 617年
唐	西元 618年～西元 906年
五代	西元 907年～西元 959年
北宋	西元 960年～西元 1126年
南宋	西元 1127年～西元 1276年
元	西元 1277年～西元 1367年
明	西元 1368年～西元 1643年
清	西元 1644年～西元 1911年
中華民國	西元 1912年

國家圖書館出版品預行編目資料

全新吳姐姐講歷史故事. 42. 明代/吳涵碧 著.
--初版.--臺北市；皇冠，1999〔民88〕
面；公分（皇冠叢書；第2939種）
ISBN 978-957-33-1639-8 （平裝）
1. 中國－歷史－明(1368－1644)
2. 中國－歷史

610.9　　　　88007060

皇冠叢書第2939種
第四十二集【明代】

全新吳姐姐講歷史故事〔注音本〕

作　　者—吳涵碧
繪　　圖—劉建志
發 行 人—平雲
出版發行—皇冠文化出版有限公司
台北市敦化北路120巷50號
電話◎02-27168888
郵撥帳號◎15261516號
皇冠出版社(香港)有限公司
香港銅鑼灣道180號百樂商業中心
19字樓1903室
電話◎2529-1778　傳真◎2527-0904
印　　務—林佳燕
校　　對—第一編輯室
著作完成日期—1998年12月
香港發行日期—1999年07月09日
初版一刷日期—1995年07月15日
初版二十七刷日期—2021年05月
法律顧問—王惠光律師

讀者服務傳真專線◎02-27150507
電腦編號◎350042
ISBN◎978-957-33-1639-8
Printed in Taiwan
本書定價◎新台幣150元/港幣45元